collection dirigée par Jean-Hugues Malineau

l'ami de poche **casterman**

Graham Dunstan Martin.
Graham Dunstan Martin est un Celte d'origine. Son père
vient de Cornouaille, sa mère est d'origine écossaise. Son
enfance a été bercée par les légendes des pays celtiques.
Il habite Edimbourg, en Écosse, depuis 1965 où il ensei-
gne la littérature française à l'Université. Il a passé deux
ans en France à Montpellier et à Paris.
Giftwish, l'épée magique, est son premier roman. Il a
essayé de recréer un livre qu'il aurait aimé lire lorsqu'il
était adolescent.

Dominique Le Nouaille.
Je suis né en 1953 dans une abbaye normande, sous un
ciel d'automne. Quelques années d'architecture intérieure à l'E.S.A.M. m'ont appris à tracer des traits à la
règle, ce qui ne m'enchantait guère. Puis, pendant quelque temps, j'ai fait de la création textile avant d'entrevoir
que l'illustration correspondait davantage à ma nature.
Le dessin est pour moi une succession de visions que je
fixe à l'aide de mes pinceaux sur mes feuilles blanches.

Graham
Dunstan Martin

2
l'épée
magique

illustré par Dominique Le Nouaille

traduit de l'anglais par France Sharratt

l'ami de poche **casterman**

CHAPITRE XIV

LA CAPE

— Et maintenant, dit la châtelaine, attache ta broche.

C'était le lendemain matin. Après le petit déjeuner, elle avait dit à Étincelle (et Yann en avait été déçu) d'emmener Arbalète et de lui faire visiter le château.

— Il vaut mieux, avait-elle confié à Yann, que personne d'autre que toi ne soit au courant. Tu te rappelles les ennuis que tu t'es attirés à Toqueval, à laisser échapper tes secrets ! Celui-ci, garde-le pour toi. D'ailleurs, il faut que personne d'autre ne soit présent quand tu mets cette cape. Sinon, elle « laisserait passer la lumière », si l'on peut dire.

— Et vous ? Vous ne serez pas là ?

— Pas quand tu la mettras. Je vais t'expliquer ce qu'il faut faire, et puis je t'attendrai à la porte.

Ils se trouvaient donc dans le salon de la châtelaine, et elle lui tendait une vieille cape élimée, dont toutes les couleurs avaient passé et s'étaient fondues en un gris uniforme. Au col, il y avait un fermoir en or sur lequel étaient gravés un dessin géométrique et de drôles de lettres, mais à part ça la cape n'avait rien d'extraordinaire. Elle ressemblait à celles que l'on trouve chez tous les chiffonniers.

— Alors, dit la châtelaine, comme je te l'ai déjà dit, le dragon te sera d'un grand secours sur le chemin de Minuit. Mais Minuit même... ah, j'ai bien peur que tu n'arrives pas jusque-là si tu n'as pas quelque chose de plus. Cet objet que voici... est ce quelque chose de plus?

Elle en caressa affectueusement la surface usée du bout des doigts, comme si elle en goûtait chaque pièce, chaque déchirure, et chaque bout effiloché.

Yann considéra cet objet avec curiosité :

— A quoi ça sert? Qu'est-ce que ça sait faire?

— Eh bien, Yann, répondit la châtelaine, tu ne t'imagines tout de même pas que tu vas entrer dans le château du Nécromancien avec ton justaucorps en cuir, ton casque en bronze, et une épée pendue à la ceinture? Tu te vois aller trouver Sa Majesté des Ombres et lui dire : « Donnez-moi la Couronne »? Non, je ne crois pas. Il faut entrer par effraction, Yann, c'est la seule chose à faire. Voilà la Cape de l'Invisibilité, dont on raconte l'histoire. Tu te glisseras dans le château par la grande porte d'entrée, en plein jour. Les gens d'armes se tiendront au garde-à-vous, la lance aiguisée comme le fil d'un rasoir, mais tu passeras droit devant eux. Tu entreras à grandes enjambées dans la cour de chez Malempire, où pousse l'arbre au pied duquel est enterrée la

Couronne. Tu attendras la nuit, de peur que l'on ne remarque que des mains invisibles sont en train de retourner la terre. Tu déterreras la Couronne.

Elle lui présenta la cape :

— Tiens, dit-elle, prends-la, je te la donne.

Yann la prit :

— Vous en êtes bien sûre, madame ? Elle doit avoir beaucoup de valeur. Je préférerais ne pas vous la prendre : je n'ai rien pour vous la payer...

— Bah ! Comme paiement, la mort du Nécromancien... A ce moment-là, tu pourras largement me rembourser, lui dit-elle. Eh bien...

Silence.

— Ne vas-tu pas l'essayer ?

Yann hésitait.

— Oh, vous alors, les Normanciens, quelle engeance ! dit-elle en riant. Toujours incrédules ! Je vous connais : vous ne croyez que ce que vous avez vu de vos propres yeux. Allons, ajouta-t-elle d'un ton enjoué, tu ferais mieux de t'assurer que je ne te refile pas de la marchandise de mauvaise qualité. D'ailleurs, il est difficile de venir à bout de ce fermoir. Tu vois ? elle lui reprit la cape et remua les doigts derrière la broche, en faisant bien attention,... c'est comme ça que ça marche. Tu peux faire comme ça ?

Yann essaya, en vain, essaya de nouveau, se piqua le doigt, qu'il suça, et finit par y parvenir.

— Très bien. Recommence ; encore une fois.

« C'est parfait. Tu y arrives, maintenant. Bon, comme je te l'ai dit, je ne peux pas rester ici pendant que tu essaies la cape : ça ne marche pas s'il y a quelqu'un d'autre qui regarde. Tu es sûr que tu as le coup de main? Parfait.

Elle se dirigea vers la porte. Elle avait les cheveux dorés, était grande et imposante. Sa longue main se posa un instant sur la clenche :

— Nous te retrouverons au déjeuner. Tu connais la salle à manger : entres-y et enlève ta cape. Matérialise-toi sous nos yeux pour nous faire une surprise. Jusque-là, promène-toi dans le château. Amuse-toi bien. Personne ne pourra te voir, je te le promets. Tu pourras passer devant les gardes à la porte du château, ils ne bougeront pas d'un poil. Et même les chiens dans les cuisines : pas un ne grondera, pas un ne dressera l'oreille. Essaye! Au revoir, au déjeuner, dit-elle en riant. Si du moins nous pouvons vraiment t'y revoir!

Resté seul dans le salon de la châtelaine, en face du miroir qui se trouvait au-dessus de la cheminée, Yann réfléchit pendant quelques instants. Voyons, il pourrait au moins essayer la cape, pour voir si elle fonctionnait. Il se la jeta sur les épaules : elle le couvrait entièrement et lui tombait jusqu'aux chevilles. Il se mit à tripoter maladroitement le fermoir et se l'attacha autour du cou, de ses mains encore peu habituées à cette tâche.

A ce moment-là il entendit soudain par la fenêtre un bruit discordant qui ressemblait à un tonnerre d'applaudissements, ou à celui d'une voile qui bat dans une bourrasque. Yann hésita, mais ses mains semblaient maintenant attacher le fermoir, malgré lui. Même la voix consternée de la châtelaine, qu'il entendit soudain crier derrière la porte, ne pouvait plus distraire son attention, à présent. Il épingla la broche à sa place et recula pour contempler son reflet dans la grande glace inclinée.

Au début, il ne se passa rien : son reflet dans la glace était tout aussi solide qu'auparavant. Mais ensuite il se rendit compte que les contours brumeux du sofa et de la fenêtre commençaient à se montrer indistinctement à travers son propre corps. Il devenait progressivement transparent et, comme la corne d'une lanterne, il laissait passer la lumière. Chaque instant qui passait rendait les meubles derrière lui encore plus distincts, alors que sa propre silhouette continuait à s'estomper, à s'évanouir.

Mais qu'est-ce qui se passait ? Il n'y avait pas seulement le fait que sa silhouette devenait indistincte ; sa vue s'assombrissait aussi. Les bruits qui venaient du dehors perdaient leur précision, eux aussi. Il ne se sentait plus solide, mais au contraire mince comme une feuille de papier, comme s'il risquait de se faire envoyer dans un coin de la pièce par un courant d'air. Il avait du mal à respirer. Il porta de nouveau les mains à son fermoir, devant sa gorge, mais il avait l'impression que ses doigts n'étaient que des bouts de bois friables : s'il essayait de s'en servir, ils casseraient.

— Yann! Yann!

Il entendit un bruit qui semblait venir de très loin : celui d'une porte qui claquait ; et une voix qui criait, qui lui criait dans les oreilles, et ressemblait au chant d'un oiseau tournoyant dans le ciel au-dessus du château... elle criait son nom. De fortes mains tiraient sur le truc qu'il avait autour du cou, qui se déchira.

Yann se retrouva allongé par terre ; Étincelle était penchée sur lui, contemplait son visage et criait son nom. Puis elle disparut, et il entendit claquer la barre de la porte extérieure.

— Étincelle ! appela-t-il faiblement. Puis ses forces lui revinrent petit à petit. Oui, les bras et les mains, le tronc et les jambes... il se retrouvait au complet. Il entendait son cœur cogner dans sa poitrine : c'était un bruit réconfortant. Et voilà Étincelle qui revenait encore une fois et qui paraissait solide, elle aussi, ce qui était rassurant ! — Qu'est-ce qui... qu'est-ce qui s'est passé ?

— Chut ! souffla instamment Étincelle en se suçant un doigt : elle s'était cassé l'ongle en luttant avec le fermoir : — Ne parle pas ! Tu te sens mieux ? Tu peux te lever ?

Yann se mit debout : il ne tenait pas très bien sur ses jambes.

— Oui, ça va, répondit-il. Mais qu'est-ce qui s'est passé ?

— Pas le temps, répondit Étincelle. Maldonne a essayé de te tuer. Je t'expliquerai ça plus tard. Viens par ici. Monte l'escalier, si tu tiens à la vie !

Elle le poussa vers la petite porte noire près de la cheminée, qui bâillait maintenant. Yann ne l'avait encore jamais vue, mais bien sûr Étincelle avait dû entrer par là, pour éviter la châtelaine dans l'escalier extérieur.

— Monte l'escalier! Monte, monte!

Et Yann se retrouva en train de se hisser le long du petit escalier en spirale dissimulé derrière le porche. Très loin, dans la cour tout en bas, il entendait la châtelaine crier et jurer. Il s'arrêta, encore un peu abasourdi, mais Étincelle lui cria d'avancer.

Ils grimpaient, allaient de plus en plus haut. Un palier sur deux, il y avait une porte ouverte; et Étincelle les fit toutes claquer et les referma toutes derrière eux. On n'entendait maintenant plus aucun bruit en bas.

— Mais... dépêche-toi! lui disait Étincelle. Il n'y a pas une minute à perdre. Elle va arriver ici d'un instant à l'autre. Une porte verrouillée ne suffit pas à arrêter une sorcière.

Ils se trouvaient maintenant sur un espace plane, essoufflés par l'ascension mouvementée de cet escalier dérobé. Yann avait encore la tête qui tournait, mais au moins était-il encore entier, et son épée, solidement attachée, se balançait-elle encore contre sa cuisse.

Leurs têtes émergeaient dans une pièce circulaire, entourée de portes.

— A la vôtre! leur dit Arbalète pour les accueillir. Il se tenait près de l'une des portes, un poignard à la main.

— Parfait! dit Étincelle. Tu es bien arrivé, alors. Bon; on n'a pas le temps de bavarder. Il faut sortir d'ici, et vite.

— Il y a six hommes armés dans la cour, dit Arbalète sombrement, en montrant du doigt la porte.

— Ils ne présentent aucun problème, répondit Étincelle, tout aussi sombre. Vous n'avez qu'à me suivre. Tu peux rengainer ce poignard, Arbalète. Sois prêt à t'en servir, mais seulement si je te le demande.

Elle déverrouilla la porte, et ils sortirent dans la clarté du jour.

Ils se trouvaient tout en haut de la gorge. Sur la falaise, derrière le château, se dressait en effet une tour en pierre, qui le protégeait contre tous les ennemis qui pourraient l'attaquer par en haut, par la forêt. Ils se trouvaient maintenant dans l'étroite cour de cette tour et en face d'eux, au-delà de ces pavés, à moins de vingt mètres, il y avait le chemin par lequel ils pourraient s'évader : une immense porte en chêne, fermée et verrouillée.

En face d'eux il y avait aussi six hommes en armes : deux en haut, sur les remparts, et quatre près de la porte elle-même. Tous les six les regardaient sans ciller.

— Faites-moi confiance, murmura Étincelle. Et elle alla droit vers eux, d'un air aussi naturel que si elle allait à la salle à manger.

« Écoutez-moi! cria-t-elle aux hommes de la porte. Elle tripotait le médaillon qu'elle portait au cou. Il étincelait dans le soleil matinal tandis qu'elle le faisait aller et venir :

— Belleruse, Chagriffe, Cassebras, Ossabroche... Elle les appelait tous, tour à tour, par leur nom :

— Madame la châtelaine vous demande en bas.

Les hommes restaient immobiles, pétrifiés, la main à la lance. Yann serra plus fort la poignée de son épée.

Mais ce n'était pas nécessaire.

Belleruse répéta :

— Madame la châtelaine nous demande en bas.

— Vous devez y aller immédiatement, dit Étincelle.

— Nous devons y aller immédiatement.

— Nous allons garder la porte.

— Vous allez garder la porte.

Étincelle fit claquer ses doigts. Les six hommes en armes se mirent en marche et, tels des automates, descendirent l'escalier, traversèrent la cour, franchirent la porte, et prirent l'escalier en colimaçon. Étincelle claqua la porte derrière eux, et la verrouilla de l'extérieur. Pendant ce temps Arbalète et Yann s'acharnaient sur la porte principale.

— Et maintenant, dit Étincelle, une fois qu'ils furent tous sortis, dépêchons-nous, vite, allons dans cette forêt, là. Il faut courir.

Ils prirent leurs jambes à leur cou.

A cinq cents mètres à l'intérieur de la forêt, ils arrivèrent à une vieille masure délabrée. A l'intérieur les attendaient quatre chevaux, déjà sellés, derrière lesquels se tenait l'un des soldats de Maldonne. Mais il s'approcha d'eux, sourit, et les salua.

— Merci, Lancepierre, lui dit Étincelle chaleureusement. Du fond du cœur, merci : tu nous as sauvé la vie à tous.

— Je vous en prie, Madame la châtelaine. Mais les troupes de la sorcière sont-elles à vos trousses ?

— Pas encore, je l'espère, répondit Étincelle. Mais il va falloir nous occuper de ça.

Elle porta la main gauche à ses lèvres et souffla sur le cristal de quartz, d'un blanc éclatant, qui était serti dans sa bague. Sous les yeux étonnés de Yann, il se colora, devint opalin, trouble, et enfin presque noir. Les rayons du soleil, qui jusqu'alors avaient réchauffé le dos de Yann comme la chaleur d'un four, furent brusquement interrompus, comme si quelqu'un avait refermé à la volée la porte de ce four. Il leva les yeux. De sombres nappes de brouillard cachaient le soleil, et de légères volutes de brume grise filtraient à travers les arbres. Il frissonna.

— Il reste encore quelque chose, dit Étincelle. Tu as ton anneau, Yann ? Bon, c'est ce que je pensais. Elle ne pouvait pas encore te l'avoir pris.

Elle s'agenouilla devant la cheminée de la chaumière, où une pile de brindilles était déjà toute prête. Du fourreau de cuir attaché à sa ceinture elle sortit un objet qui n'était pas,

Yann s'en apercevait maintenant, une arme, mais un allume-feu, qui se composait d'une tige de bois creuse dans laquelle il y avait une baguette conique, pointue, exactement de la bonne taille. Par trois fois elle tira sur la baguette intérieure, puis la fit revenir en place. Trois étincelles jaillirent du trou qui se trouvait au bout de la tige extérieure. Les copeaux secs s'enflammèrent.

— Tiens ton anneau dans la lumière des flammes, Yann, lui dit Étincelle.

Dehors, dans la forêt, la lumière devenait progressivement plus faible, au fur et à mesure que le brouillard augmentait. Des bouffées de brume poisseuse entraient par les fenêtres de la chaumière. Le dragon enroulé autour de l'anneau prit du relief et se mit à briller. Étincelle s'assit; lentement et délibérément elle se mit à caresser la tête du dragon de terre, d'abord doucement, puis avec le bout pointu de l'ongle de son pouce.

Le plancher de la chaumière fut pris de secousses et se mit à se soulever. Les chevaux attachés de l'autre côté de la porte, affolés, se mirent à hennir et à tirer sur leur licou. Yann et Étincelle s'étalèrent par terre au moment où une convulsion arrachait le sol même sur lequel ils étaient agenouillés, comme si ç'avait été une carpette. Des ardoises se détachèrent du toit et tombèrent autour de leur tête; mais le bruit se perdait dans une vibration lente et énervante; on aurait dit que la falaise était devenue vivante et avait des frissons de peur.

Yann claquait des dents, il les sentait qui s'entrechoquaient dans sa tête ; et il enfonça dans le sol de terre battue ses doigts de pieds et de mains, pour éviter de se trouver projeté dans la cheminée. La forêt tremblait et soupirait ; la roche, au-dessus du sol, tirait de sa gorge de fer une solennelle note d'orgue pour marteler sa colère ; et ce bruit enfla jusqu'à devenir un tintamarre qui vous perçait les oreilles, comme des gravats et des rochers tombaient en pluie. Dans un rugissement de douleur la terre bascula et se déchira, et voilà que derrière eux, à moins de trente mètres de la fenêtre de leur chaumière, le mur d'arbres oscilla, se balança, puis disparut soudain, comme si un géant avait fait passer sa faux par là. La falaise de Malines avait reculé de cinq cents mètres dans la forêt, et avait laissé une énorme fissure déchiquetée dans le chemin par lequel ils étaient arrivés. Le tonnerre se tut, mais on entendait encore le fracas intermittent des débris et des gravats qui continuaient à se détacher et à s'écraser au sol, où ils s'immobilisaient.

Étincelle se leva en soupirant et se passa la main sur les yeux ; elle était pâle.

— C'est la fin de Malines, dit-elle d'une voix rauque.

Tout était maintenant silencieux, à part le bruit que faisaient les oiseaux apeurés qui tournoyaient au-dessus d'eux.

— A nos chevaux, dit Étincelle. S'il reste quelqu'un... Elle bâilla tout d'un coup :

— Je n'en peux plus.

CHAPITRE XV

ÉTINCELLE

Cet après-midi-là ils plantèrent leur tente à moins de trente kilomètres des ruines de Malines. Étincelle était en effet épuisée par tous les sortilèges qu'elle avait lancés, et avait du mal à se tenir droite sur sa selle.

— Oui, oui, répondit-elle en bâillant comme un chaton, je crois que nous sommes en sécurité maintenant. Mais trêve de questions : je dors debout. Demain...

Et elle sombra dans un profond sommeil dont il fut impossible de la tirer avant le lendemain matin à l'aube.

Yann avait eu le temps de réfléchir entre-temps. De toute évidence, la sorcière, Maldonne, avait dans sa présentation des faits à la fois exagéré et minimisé les pouvoirs de cet anneau. C'était en effet, d'une part, une arme extrêmement dangereuse, d'autre part il n'avait visiblement rien à voir avec le temps. C'était Étincelle qui avait fait descendre la brume en soufflant sur le cristal de sa propre bague. C'était sûrement elle qui avait fait briller le soleil la veille, dans le salon de la châtelaine. Il avait en effet remarqué qu'elle jouait avec sa bague, tandis que la châtelaine faisait semblant de toucher la queue du dragon.

Quand il lui fit part de ses soupçons, elle reconnut leur bien-fondé.

— Exactement : Maldonne te faisait marcher. (Ils étaient tous les quatre remontés en selle et repartis pour Pontruisselle.) C'est ma bague à moi qui commande à la brume. Ton anneau est tout de même efficace, lui aussi. Seulement, à vrai dire, nous en avons fait un mauvais usage : en fait nous n'aurions pas dû éveiller le pouvoir du dragon sans lui avoir d'abord parlé. Elle va se mettre très en colère.

— Lui parler, interrogea Yann, dubitatif, n'est-ce pas dangereux aussi ?

— Si, certainement. Mais ne pas lui parler est encore plus dangereux, en fin de compte. Elle se fâche quand on se sert d'elle comme d'un simple instrument. A moins que tu n'aies l'intention d'enlever ton anneau et de l'enfermer dans un placard jusqu'à la fin de tes jours... Ce qui serait d'ailleurs peut-être la meilleure solution.

— Mais, répondit Yann, plutôt malheureux, je n'en suis pas si sûr. Après tout, si je poursuis cette entreprise désespérée... Est-ce qu'on ne pourrait pas appeler le dragon tout de suite et... lui expliquer la situation ?

Étincelle lui lança un coup d'œil perplexe, comme si elle essayait de se former une opinion sur lui.

— D'accord, si tu veux, lui répondit-elle. Mais pas aujourd'hui. Il faut d'abord laisser au dragon le temps de s'apaiser quelque peu. Elle doit être furieuse en ce moment parce qu'on l'a réveillée. Et c'est la même chose que pour les êtres humains, il faut lui laisser le temps d'oublier sa rancune : laissons-la en paix pendant quelques jours encore.

Ils traversaient maintenant une vallée verdoyante, pleine de fermes et de petits villages. On n'apercevait aucun château.

— C'est apparemment un coin paisible, par ici, fit remarquer Yann.

— Oui et non, lui répondit Étincelle, l'air morne. Tout ceci fait partie du domaine de Malines. Il n'y a ni châteaux ni murs d'enceinte autour des villages, pour la simple et unique raison que Maldonne n'a jamais permis à ses sujets de se défendre contre elle. Et, pour ce qui est de se défendre contre les étrangers, qui donc aurait osé envahir un territoire qui lui appartenait à *elle* ?

— Elle s'appelle donc bien Maldonne, après tout ?

— Mais oui ; mais Malveille est le même mot. Comme la plupart des noms en langue ancienne, il a plusieurs significations : celle qui lance des malédictions, et celle qui distribue le mal. Mais cela veut aussi dire « la grande sorcière qui veut du mal à tous ». C'est sans doute pour cela qu'elle préférait cette dernière forme : c'est plus grandiose, cela lui convient mieux.

— Je comprends. Mais si elle était si puissante, comment as-tu fait pour la vaincre ?

— A vrai dire, comme d'habitude : elle était trop sûre d'elle. Remarque, il s'en est fallu de peu. Il aurait suffi que j'arrive deux minutes plus tard... Mais en fait c'est tout de même arrivé par sa faute. Elle aimait tant les actes de sorcellerie *élégants* ! Tu comprends, on ne peut rien imaginer de plus élégant que de faire semblant de t'aider, te faire généreusement cadeau d'une cape magique, et te pousser à t'exterminer toi-même !

Yann se souvint de ce que la châtelaine avait dit sur la magie deux jours auparavant, l'après-midi.

— Ce ne serait pas par hasard parce que je me méfiais de Malveille que la cape a eu cet effet funeste ?

— Pas du tout. Pas dans ce cas précis. Tu sais, cette cape est vraiment une Cape de l'Invisible. Mais celui qui la porte ne devient pas invisible pour les autres seulement, mais aussi pour lui-même.

« A vrai dire, poursuivit Étincelle, c'est même cela qui a perdu Maldonne. Si, du moins, elle est vraiment morte.

Yann frissonna et se retourna pour regarder derrière lui.

— On ne peut pas en être certain, dit Étincelle. Elle aurait pu, je suppose, quitter le château avant que le dragon ait agité la queue. Mais cela me semble peu probable.

— Oui : il y avait toutes ces portes verrouillées à franchir.

— Non, ce n'est pas tellement ça. C'est vrai que même une sorcière pourrait mettre assez longtemps à les ouvrir... surtout quand c'est une autre sorcière qui les a verrouillées, ajouta Étincelle en se souriant à elle-même, et en regardant Yann en dessous.

« Mais, vois-tu, j'ai lâché tous ses pigeons.

— Ses pigeons ? demanda Yann, abasourdi.

— Oui ; n'as-tu pas remarqué le pigeonnier en arrivant à Malines ? Elle est de mèche avec le Nécromancien, tu sais, et lui transmet tout ce qu'on lui dit. Les pigeons noirs lui apportent tous les messages de Maldonne. Mais je suis presque certaine qu'elle ne lui a pas encore parlé de ton arrivée. Elle tenait à le faire elle-même.

— Péché d'orgueil ne va pas sans danger.

— Précisément. Remarque, je ne suis pas sûre de bien comprendre pourquoi elle ne t'a pas emballé dès ton arrivée sur le seuil de sa demeure. Elle avait tant de choses à y perdre ! Et elle avait tant de choses à gagner si elle te tuait. Cela ne lui ressemble pas vraiment de se laisser à ce point influencer par son amour de l'élégance du geste. Étincelle avait l'air songeuse. Elle lança un coup d'œil à Yann :

— Je suppose que tu n'as pas...

— Fait quoi ?

— Oh, ça n'a pas d'importance ; on en reparlera un autre jour. Revenons-en aux pigeons. Tu sais, je les ai libérés pour détourner son attention pendant quelques instants. Tu as peut-être entendu le bruit épouvantable qu'elle a fait, à hurler et jurer. Étincelle, amusée, riait nerveusement :

— Elle était absolument furieuse.

Une idée horrible vint à l'esprit de Yann.

— Mais, écoute, puisque tu as libéré les pigeons, le Nécromancien va certainement découvrir la vérité. Ils vont tous aller directement à Minuit, non ?

— Je sais bien. Mais au moins Malempire ne doit-il pas encore savoir en détail ce qui ne va pas. Mais c'est vrai qu'il doit être sur ses gardes. Tout de même, il n'y avait pas moyen de faire autrement. J'étais bien obligée de faire quelque chose, n'importe quoi, pour détourner son attention.

— Sans doute.

— L'autre élément qui doit l'avoir retardée, c'est sa propre finesse d'esprit. La cape, tu comprends. Le problème, quand on utilise cette cape, c'est que si ça marche, il n'y a aucun signe visible pour le prouver ! La malheureuse victime la met, puis s'efface graduellement, jusqu'à l'anéantissement complet. La victime se transforme en air, en courant d'air glacial, et il n'en reste plus rien, sauf la cape, par terre... plus tous les bouts de métal qu'elle se trouvait porter à ce moment-là. Maldonne aurait récupéré ton épée, tu comprends, ainsi que l'anneau du dragon. Et voilà encore une raison pour laquelle elle n'en a pas parlé au

Nécromancien : elle voulait les garder pour elle.

— Mais comment la cape a-t-elle pu être utile pour la retarder?

— Eh bien, tu vois, elle n'avait aucun moyen de savoir si tu t'étais échappé ou non, à moins de commencer par fouiller toute la pièce pour retrouver ton anneau et ton épée. J'avais calculé qu'elle allait ainsi perdre de précieuses minutes... En plus, elle devait être dans une colère noire, et la colère n'aide pas à réfléchir calmement.

Ils s'arrêtèrent près de la rivière pour déjeuner. Étincelle avait tout parfaitement organisé. Ils avaient des provisions pour leur voyage jusqu'à Pontruisselle, des couvertures et des peaux d'ours pour la nuit, de l'eau de source vivifiante, et même un flacon de lait de chèvre.

— Je te remercie infiniment, lui dit Yann pour la centième fois ce matin-là. Tu m'as sauvé la vie. Comment puis-je te revaloir cela?

Étincelle renifla un peu; ses yeux, brillants, étaient pleins de larmes qui lui coulaient sur le visage et qu'elle ne faisait aucun effort pour essuyer.

— Ne pleure pas, lui dit Yann, étonné de se sentir si bouleversé. Qu'est-ce qui ne va pas?

Étincelle lui sourit à travers ses larmes.

— C'est *elle*, lui répondit-elle.

— Elle? La sorcière, tu veux dire?

— Oui, Maldonne. Tu comprends, je n'avais pas d'autre famille; c'était ma mère adoptive;

elle a toujours été très gentille avec moi ; et maintenant elle est morte.

— Mais tu n'es pas sa fille.

— Non, pas par le sang. Mais elle m'a élevée depuis l'âge de quatre ans. Elle m'a volée, tu comprends. Elle s'est opposée à la ville de Hurlemeute... (les larmes d'Étincelle commençaient à sécher maintenant)... il y a exactement douze ans. Les habitants s'étaient révoltés contre elle. Elle les a tous fait passer au fil de l'épée. C'est pour cela qu'il n'y reste que des ruines maintenant. Elle a ramené tous les chefs de cette rébellion à Malines avec elle, et elle les a fait mourir d'une mort lente... atroce. Étincelle frissonna :

Je suis au courant de tous les détails ; elle m'a tout raconté, bien sûr, comme elle l'a toujours fait. Elle était fière de ses cachots, elle disait toujours que c'étaient « les cachots les plus *splendides* de toute l'Ombrasie ». Étincelle imitait la voix musicale de la châtelaine :

Mais n'en parlons plus. Mon père et ma mère ont dû périr dans ce massacre, mais moi elle m'a volée. Elle voulait une fille qui puisse continuer son œuvre.

— Et toi, tu n'as pas voulu ?

— A vrai dire, c'est ce qu'il y a de plus bizarre en moi, Yann.

Étincelle souriait maintenant à travers sa peine, d'un petit sourire tremblant, qui faisait l'effet d'un rayon de soleil par une journée d'hiver.

— J'ai grandi en force et en méchanceté, tu comprends, comme toute bonne sorcière. C'est du moins ce qu'elle croyait. Mais elle a fait encore une autre erreur fatale.

— Laquelle ?

— A vrai dire, ce fut la plus grande prouesse de Maldonne. Mais ça s'est très mal terminé. Tu as entendu parler de la maladie de la princesse Étoile, n'est-ce pas, Yann ? Bien sûr que oui, tu nous en as parlé toi-même. Nous étions déjà au courant, bien entendu. C'est Maldonne qui en est la cause.

— Maldonne ?

— Oui, ça fait des années qu'elle préparait son coup. Et puis Perfidel t'a envoyé à Mirivière pour renouveler le sortilège. Eh bien, ça n'a duré qu'un court instant seulement, et tu dois t'en souvenir : tu as tiré la vieille épée tordue du cœur du Nécromancien... et tu y as plongé la nouvelle épée. Mais cet instant a suffi.

— Comment cela ? Explique-toi !

— Pendant cette seconde, cette fraction de seconde où les portes de la Normancie n'étaient plus fermées, Maldonne a fait sortir l'âme du corps de la princesse, l'a aspirée jusqu'en Ombrasie par l'intermédiaire du vent, lui a fait remonter la rivière et traverser la forêt. Elle croyait que j'étais morte, que la pluie m'avait emportée et désintégrée.

Yann en resta bouche bée.

— Elle croyait que ... que, qui au juste était morte ?

Étincelle le considéra d'un regard hypnotique, comme elle l'avait fait la veille, pour les soldats dans la tour.

— Moi, Yann, moi. Elle croyait que moi j'étais morte. Je suis aussi la princesse, en même temps que je suis Étincelle. Je suis deux personnes : l'âme d'Étoile est arrivée directement jusqu'à moi.

Yann eut un mouvement de recul involontaire ; il sentait ses cheveux qui lui picotaient la nuque. Étincelle éclata de rire.

— Ne t'en fais pas, Yann, il n'y a pas de quoi s'inquiéter. Je suis et Étincelle et Étoile, les deux à la fois, mais je suis entière, une et indivisible. Et même, peut-être que dans les profondeurs où l'esprit ne fait qu'un avec l'univers, peut-être l'ai-je toujours été. Tu comprends, Étoile et Étincelle sont nées le même jour, à l'aube, au moment où la dernière étoile, Céra, se fond dans la lumière du jour. Nous sommes ce que l'on appelle en sorcellerie des *Sterroyúmenai*, c'est-à-dire des jumelles stellaires, nées au même moment. Et l'on dit que de tels enfants peuvent apprendre à lire dans les pensées l'un de l'autre.

— Mais quel effet cela fait-il d'avoir deux… deux personnes dans un même corps ? Et je suppose que tu as … deux mémoires aussi ?

— Bien entendu.

— Tu dois t'y perdre, non ?

— Pas du tout. C'est même très utile pour une sorcière, tu sais, de connaître de l'intérieur la Normancie et l'Ombrasie. Je ne me sens pas du tout divisée, je ne me sens qu'agrandie. Je suis plus moi-même. Nous allons bien ensemble, tu sais, avec la bonté d'Étoile et la méchanceté d'Étincelle. Sauf qu'en fait Étincelle n'a jamais été méchante.

— Je sais, dit Yann.

— Tu le sais peut-être, répondit Étincelle en souriant. J'étais bien obligée d'obéir, tu comprends, mais j'ai toujours détesté cela. Je savais bien qu'il faudrait que je passe un jour ou l'autre à l'action. Ces « visiteurs » dont on t'a parlé, tu te rappelles ? Ceux qui étaient « partis » une semaine auparavant ? Les derniers visiteurs du château.

— Je me rappelle. Les gardes à la grande porte m'en ont parlé.

— Oui, et alors, qu'est-ce que tu crois ? Que c'étaient des invités de Maldonne ? Ils étaient prisonniers, Yann. Ils sont morts dans ses cachots la semaine d'avant.

Il y eut un silence.

Étincelle soupira et poursuivit :

— Alors, tu vois, elle était malfaisante ; et moi, j'étais toujours déchirée. Mais quand je suis devenue Étoile en même temps que moi, à ce moment-là je me suis rendu compte que j'allais devoir agir vite. Tu es arrivé : c'était un moment propice. Et maintenant Malines n'est plus qu'une ruine, tous ses soldats malfaisants sont morts et enterrés sous les décombres.

Elle s'essuya le visage et se regarda dans sa glace de bronze verni :

— Mais je n'ai quand même pas pu retenir mes larmes. Pour moi en tout cas elle a été bonne. En plus, si on ne pleure pas, la magie ne marche pas. On l'enferme au fond de son cœur et elle ne peut plus jamais en sortir. Or, nous avons besoin de magie, Yann, non?

Yann pensait au Nécromancien.

— Oui, grand besoin, répondit-il.

Mais, poursuivit-il, c'est vrai que tu... que tu regrettes pour de bon d'avoir tué Maldonne?

Étincelle secoua la tête :

— Pour de bon, Yann, qu'est-ce que ça veut dire? Vous autres, Normanciens, vous voyez tout en noir et blanc. Quand quelqu'un est malfaisant, qu'est-ce qu'on doit faire? Bien sûr que je le regrette, dans un sens. Mais je suis surtout contente. Elle était méchante, telle-ment méchante envers tant de gens! Il fallait le faire. Je ne verserai plus jamais de larmes sur son sort.

Ils se mirent en selle et reprirent leur chemin le long de la vallée, vers Pontruisselle. Ils y arrivèrent en milieu d'après-midi.

Cette petite ville s'accrochait aux falaises au-dessus de la rivière. Elle serpentait du haut en bas de la gorge, au gré des lacets de son unique rue. La plupart des maisons étaient des constructions hautes et étroites de bois et de plâtre : la bande de terrain n'était en effet pas large, et les charpentiers avaient dû construire en hauteur, vers le ciel. D'en haut, on voyait des pignons de bois escarpés qui descendaient en zigzag vers le pont en dos d'âne qui enjambait la rivière dans la gorge tout en bas; et ils ressemblaient à une double crête dentelée, sur le dos de quelque immense serpent. D'en bas, on voyait les maisons se pencher en l'air les unes vers les autres; chaque étage était en effet plus grand que celui du dessous, de sorte que les étages supérieurs avançaient sur la rue, se touchaient presque, et projetaient sur les pavés une ombre dense. Il n'y avait personne en vue, mais Yann crut voir des rideaux bouger légèrement çà et là sur leur passage; il crut aussi sentir un regard inquiet sorti de l'ombre, à l'intérieur, se poser sur eux. Quand il se retourna sur sa selle, pourtant, le visage qui les avait regardés avait disparu. Il n'y avait aucun bruit non plus, sauf celui que faisaient les sabots de leurs chevaux sur la route. L'air était noir et froid de peur; et Yann ressentit un élancement de colère à l'idée que c'était là l'œuvre de Maldonne, qui avait laissé l'empreinte de sa main impitoyable sur cette petite ville apeurée.

La grande place n'était qu'à deux cents mètres de la porte extérieure. Elle était à peine plus large que la rue elle-même, mais en son centre se dressait une potence vide dont la poutre supérieure avançait comme un bras menaçant. Derrière cette potence se trouvait la seule maison en pierre de toute la ville. Au contraire des autres maisons, qui étaient penchées et recroquevillées sur elles-mêmes, celle-ci s'étalait, carrée, dodue, opulente et fière, et narguait le gibet; au-dessus de son

31

portail à colonnes s'élançait une petite tourelle grise, froide, pleine de meurtrières, qui menaçait la place. C'était la maison du chef du village.

Étincelle les fit directement entrer dedans. Il y avait des nattes de paille par terre, avec des bancs, des chaises et des tables en bois rugueux. Dans la cheminée un feu de bois émettait une lueur maussade. Le chef entra furtivement, s'inclina jusqu'au sol devant Étincelle, et se frotta les mains à la manière obséquieuse d'un marchand malhonnête. Quand il se passa la langue sur les lèvres, Yann, dégoûté, eut un mouvement de recul. Il avait une langue noire et fourchue, comme celle d'un serpent.

Étincelle, dans cette pièce aux sombres boiseries, semblait être un rayon de soleil dans un cachot. Le pendentif qu'elle portait au cou scintillait et brillait de tous ses feux quand elle le faisait tourner.

— Serpoiseau, s'écria-t-elle d'un ton aussi impérieux que celui de la châtelaine elle-même, y a-t-il des étrangers qui sont arrivés récemment à Pontruisselle ?

— Oui, madame, répondit le chef en s'inclinant de nouveau. Chaque mot était un sifflement humide, comme sa langue fourchue allait et venait sournoisement dans sa bouche :

— Ils sont arrivés il y a deux jours, par la route de Hurlemeute. Mes hommes, ajouta-t-il avec fierté, les ont rattrapés en route. Ils ont prétendu qu'ils étaient négociants, mais bien

entendu nous attendons les ordres de Madame la châtelaine. Et eux aussi. Il gloussa :

— Ils les attendent en prison.

— Vous avez eu raison, Serpoiseau, lui dit Étincelle. Bon, amenez-les-moi. Où sont leurs armes ?

— Dans l'arsenal, sous ma protection, répondit le chef du village en désignant la pièce à côté.

— Bon, nous allons les inspecter aussi.

On amena devant eux Hardiloque et ses compagnons, les mains liées derrière le dos, un peu sales, mal soignés, et contusionnés, après avoir passé deux nuits peu confortables au poste du village. Hardiloque ouvrit la bouche quand il aperçut Yann, mais ce dernier se mit un doigt sur les lèvres. Hardiloque fit un clin d'œil et se tut.

— Quel joli travail, dit Étincelle avec un sourire sinistre à l'adresse de Serpoiseau. Elle se retourna vers Yann, Arbalète et Lance-pierre :

— Arrêtez cet homme ! leur commanda-t-elle.

Le chef se retrouva cloué à la porte, un poignard sur la gorge. On désarma ses deux acolytes.

— Serpoiseau, déclara-t-elle, c'est dorénavant moi la châtelaine de Malines. Maldonne est morte et enterrée sous les ruines de son château. Il va y avoir des changements, je vous préviens. Votre intendance néfaste est terminée.

Yann, libère tes amis. Ils retrouveront leurs armes dans l'arsenal. Prenez-les. Il faut faire certaines proclamations et punir certains hommes malfaisants.

Ils passèrent quinze jours à Pontruisselle, le temps qu'Étincelle prenne en main tout le domaine de Malines. On fit fondre dans la forge les instruments de torture. On enchaîna les compères de Serpoiseau, et lui-même fut pendu, ainsi que le tortionnaire, pour les punir de tous leurs crimes. Étincelle, accompagnée de Yann et de ses gens d'armes, se rendit à cheval dans tous les villages des environs pour proclamer son accession au trône. Il n'y eut aucune résistance. Les chefs qui avaient participé de trop bon cœur aux cruelles entreprises de Maldonne furent mis en prison ou décapités. Mais les membres de la garnison du château étaient morts, maintenant, et il n'y avait pas beaucoup d'hommes pour s'élever contre le nouveau gouvernement, plus clément, d'Étincelle ; et applaudissements, enthousiasme et affection l'accueillaient partout. Elle finit par déléguer son pouvoir à Lancepierre : il lui fallait un homme de confiance qui puisse prendre les choses en main pendant son absence prochaine.

Les citoyens de Pontruisselle fêtèrent leur nouvelle châtelaine par des célébrations qui durèrent sept jours.

CHAPITRE XVI

LE CHÂTEAU DE TRANCHECOU

Mornebrande est un lieu sinistre et désolé, même en plein été, quand le soleil est aveuglant. L'automne, cet endroit acquiert le caractère brumeux d'un mauvais souvenir. Cela représente soixante kilomètres de marais et de marécages parsemés de rochers, où sont disséminés de petits étangs ridés ainsi que de minuscules lacs d'eau sombre et trouble, tout en longueur. Il n'y a aucun arbre, à part quelques sorbiers qui s'efforcent vaillamment de prendre racine sur les quelques îlots arides. En cette saison, ils émaillent l'atmosphère de leurs baies rouge sang. Et l'herbe rare qui couvre les terrains marécageux du côté des montagnes est en train de germer maintenant; elle est passée d'un vert humide à un morne orange, et ressemble à une tache de sang qui suinterait de la terre. Un amas de nuages, aussi dense que la fumée d'une fonderie, tourbillonne perpétuellement au-dessus de l'entrée du défilé; à cet endroit se trouvent deux immenses sommets, arrondis, dont les pentes descendent jusqu'au fond de la vallée et forment une gigantesque ellipse. Et ces sommets, dans l'ombre des nuages, sont noirs comme l'encre ; il y a aussi des traînées de brume au-dessus des petits lagons ; et des cris de courlis, comme des coups de griffe, déchirent l'air humide et froid. Ce défilé s'appelle l'entrée de la vallée de Mortlespoir, ce que l'on pourrait définir comme la Prison des Marais. Mais plus personne n'ose s'y aventurer, car on raconte que c'est un endroit où a eu lieu un massacre ; et il est traversé de bout en bout par l'ancienne route, maintenant inutilisée, qui va au royaume du Nécromancien.

La première nuit après leur départ de Pontruisselle, ils campèrent dans une vallée étroite, juste après l'entrée du défilé. L'air humide s'était apparemment glissé en même temps qu'eux dans leurs sacs de couchage en peau d'ours, et ils passèrent une nuit agitée et glaciale. Le petit déjeuner avait un goût de détrempé ; et ils se remirent en route dans la demi-obscurité, avec des nuages à quinze mètres à peine au-dessus d'eux, et un petit crachin qui les trempait jusqu'à l'os.

Yann suggéra à Étincelle d'utiliser sa bague pour faire lever les nuages, pour leur procurer un peu de soleil et se réchauffer. Mais...

— En fin d'après-midi, peut-être, répondit-elle. C'est fatigant, la magie, et qui sait quand nous en aurons vraiment besoin ? D'ailleurs, il vaut mieux pour nous voyager par ce temps-là. S'il y a des observateurs postés dans les collines, ils risquent moins de nous repérer.

Ils poursuivirent donc leur chemin dans une sorte de crépuscule automnal qui durait toute la journée; un calme étrange les entourait, et seul le fracas des petits torrents qui dégringolaient à flanc de montagne venait troubler l'air et l'attente. Les montagnes, qui s'élevaient de chaque côté et allaient rejoindre les tourbillons de brume, étaient grises et sans luminosité; et le fond de la vallée était jonché de centaines de rochers blancs, qui ressemblaient à du poivre sorti du moulin d'un géant, ou aux ossements éparpillés d'une armée qui auraient ainsi reposé sans sépulture depuis des siècles.

Étincelle frissonna en les regardant.

— On dirait des crânes, dit-elle. C'est peut-être ici que...

— Le massacre? demanda Yann. Mais non, ce ne sont que des rochers. Regarde.

Et il descendit de cheval, en prit un à deux mains, et le balança dans le cours d'eau. Il rebondit sur un rocher, résonna comme un coup de fouet, puis disparut à leur vue et s'en alla rouler dans le brouillard.

— Il n'y a rien à craindre de la part de ces trucs-là, dit-il en se remettant en selle d'un bond. Même si c'était des os, ajouta-t-il en lançant un coup d'œil à Étincelle.

Elle ne répondit pas et se contenta de froncer les sourcils pensivement, puis de secouer la tête.

Un silence s'établit. Même le soldat devant eux, qui au début sifflotait entre ses dents, claqua la langue et se tut, comme s'il était envoûté par la mélancolie de ces montagnes mortes. Yann, fatigué par une nuit sans confort, fut bientôt à demi assoupi en selle ; il était en queue de colonne et chevauchait à côté d'Étincelle.

La petite bande de cavaliers cheminait péniblement sous ces nuages pesants. Ils virent bientôt des morceaux de rochers déchiquetés affleurer et fendre les pentes montagneuses au-dessus d'eux : il y avait en effet eu un glacier en cet endroit autrefois, et il restait des morceaux de basalte aux formes étranges, qui dépassaient de la surface unie de la montagne. A leur droite surgit tout à coup une colonne rocheuse qui fendait le brouillard ; et comme la brume se levait quelque peu, ils purent voir que cette colonne se terminait par une pointe irrégulière qui la faisait ressembler à une énorme aiguille de pierre. Il y en avait d'autres, de la taille d'une petite maison, arrondies et placées sur de minuscules pitons rocheux : on aurait dit qu'il aurait suffi de les pousser pour qu'ils se mettent à rouler, à dévaler la pente, et finissent par s'abattre sur les cavaliers. Il y en avait une qui ressemblait à un cordonnier, cinq fois plus grand qu'un homme normal, penché sur sa forme, pétrifié à l'instant précis où il tapait sur un clou. Le brouillard rôdait autour de son épaule et se déplaçait un peu suivant le mouvement de l'air ; et on pouvait s'imaginer que le cordonnier bougeait aussi, et leur tournait un petit peu plus le dos, comme s'il s'absorbait dans son travail. Un peu plus loin s'élevait un grand pilier de basalte qui était en tous points semblable à la statue d'un homme de quinze mètres, avec des cuissardes, les bras croisés sur son ventre de pierre ; il semblait perdu dans ses pensées, et avait la tête cachée dans les nuages. Ils le contemplèrent craintivement quand ils passèrent devant. Mais non, ce n'était qu'un rocher.

A cinquante mètres de là, il y avait encore une colonne escarpée, menaçante, exactement pareille à la première.

— On dirait presque des statues, dit Yann, sortant de sa torpeur pour scruter l'ombre épaisse.

La colonne se trouvait un peu à droite, à une demi-portée d'arc à peu près. Elle avait l'air maussade, et on aurait dit qu'elle attendait le retour des glaciers.

— Oui, dit Étincelle. Ça donne presque envie de croire aux anciennes histoires des sorciers, qui... Puis elle s'interrompit brusquement. Était-ce une illusion due au brouillard, ou bien la colonne avait-elle bougé ?

Devant eux, les chevaux étaient justement en train de passer devant ce rocher. Ils ruèrent, et l'un des cavaliers fut projeté sur le sol spongieux de la vallée. Les hommes calmèrent leurs montures qui se dispersaient et tournaient en rond. Ils se rassemblèrent pour former un demi-cercle devant le pilier de pierre. Ce dernier bougeait bien : il soulevait son pied gigantesque pour le faire sortir de la montagne.

Il fit un énorme pas vers le bas de la montagne pierreuse, en se dirigeant vers eux.

Et voilà qu'en face de Yann et d'Étincelle se tenait un homme immense, grand comme une montagne : il mesurait quinze mètres, ses membres ressemblaient à des troncs de chênes, il portait des bottes et un casque, et il avait une grande barbe verte ondulée qui lui descendait jusqu'au tronc, qu'il avait en forme de tonneau.

Les archers de Grandif bandèrent leurs arcs et tirèrent. Mais l'homme-montagne écarta leurs flèches d'un geste de la main et éclata de rire à gorge déployée; sa bouche, grande ouverte, ressemblait à une cheminée.

— Fort joli, dit-il, et son haleine les enveloppa; elle puait le terreau et les champignons vénéneux mûrs, et le cheval de Yann faillit en tomber à la renverse. Avant que les archers eussent eu le temps de tirer de nouveau, il se pencha au-dessus de Yann et de la jeune sorcière, et saisit dans son poing immense Étincelle, qui se débattait, poussait des hurlements et donnait des coups de griffe, comme un chat sauvage; et puis d'un grand geste il la souleva et l'emmena à quinze mètres du sol, et de ses immenses yeux verts regarda droit dans ses yeux bleu foncé à elle :

— Quelle jolie petite demoiselle! Quel bon, quel excellent dîner pour Tuetête!

Les archers se retenaient de tirer. Ils ne voulaient pas courir le risque d'atteindre Étin-

celle, qui se démenait dans le poing du géant, et crachait, hurlait tant qu'elle pouvait.

Yann cria au géant :

— Posez-la, posez-la donc par terre, et discutons !

Mais avant même qu'il eût eu le temps de prononcer ces mots, l'homme-montagne avait tourné ses énormes talons bottés, s'était éloigné à grandes enjambées, et avait disparu en haut dans les nuages.

Yann ne prit pas le temps de réfléchir. Il sauta à bas de son cheval, se précipita à leur poursuite, et se mit à remonter la pente en courant. Puis il s'arrêta. S'il continuait ainsi, il risquait de perdre les autres. D'ailleurs, les traces de pas du géant étaient faciles à suivre. Il enfonçait chaque fois d'au moins dix centimètres dans la terre ; et l'herbe saignait sous son poids.

Ils étaient blottis les uns contre les autres avec leurs chevaux, et Hardiloque donnait des ordres :

— Bonnegarde, Arquebuse et Grofidel... criait-il, restez avec les chevaux. Les autres, suivez-moi dans la montagne. Dépêchez-vous, il faut faire vite.

Ils poursuivirent le géant tout l'après-midi ; ils escaladèrent la montagne, la traversèrent, puis montèrent une autre pente immense, et finalement, épuisés, furent obligés de s'arrêter, le temps de manger rapidement un morceau et de délibérer brièvement sur la conduite à tenir.

— Vous voyez, dit Hardiloque, il y a beaucoup de traces par ici. Nous devons être en plein dans le territoire du géant. On n'a qu'à les chercher; par ici, je pense. Tous en éventail sur la colline. Allez-y, mais faites attention.

La brume se déchira, aussi soudainement que quand Étincelle frottait sa bague de cristal et la faisait briller. Devant eux, à cinq cents mètres à peu près, apparut un gigantesque château de bois. Il y avait aux angles deux tours de cinquante mètres de haut; au centre, un corps de logis ramassé sur lui-même, au toit couvert de tourbe, et un pont-levis en chêne, levé, fermé.

Cela n'aurait servi à rien d'utiliser l'anneau du dragon : le seul résultat que cela aurait pu produire aurait été de faire écrouler le château sur Étincelle. Ils se regardèrent, et se demandèrent que faire.

Pendant ce temps, qu'arrivait-il à Étincelle? Elle avait failli s'évanouir à cause de l'haleine répugnante du géant, mais avait néanmoins continué à se débattre et à cracher tout le long du chemin sur la montagne, et avait fini par recouvrer la raison. Ce chemin n'était pas celui qui menait à la sécurité (si du moins il existait bien un tel chemin). Il fallait essayer de raisonner.

Mais avant tout, un poil du géant; elle en arracha un de sa barbe. Il était aussi épais qu'un brin d'herbe, et à peu près de la même couleur.

Le géant poussa un grognement de douleur :

— Qu'est-ce que tu fais, ma petite demoiselle ? gronda-t-il en baissant ses immenses yeux verts vers elle.

— Vous m'écrasiez, vous me serriez trop fort, répliqua-t-elle. Elle enroulait le poil du géant autour de son petit doigt.

— Pas aussi fort que je vais le faire tout à l'heure, répondit-il avec une nouvelle bourrasque de rire. Il continua à avancer à grands pas.

— Mes amis vont vous poursuivre, lui dit Étincelle, qui essayait d'évaluer ses réactions.

Il rit encore :

— Qu'est-ce qu'ils peuvent bien faire, ces petites crevettes ? D'ailleurs, si j'étais à ta place, je ne m'en ferais pas. Avant qu'ils aient eu le temps de se gratter la tête, tu seras bien au chaud, douillettement installée dans nos estomacs. Et ensuite... il faudra redescendre en chercher d'autres !

Étincelle changea de tactique.

— Vous n'allez quand même pas me *manger* ?

— Et pourquoi pas ? Cela fait longtemps que nous n'avons pas eu l'occasion de manger de la chair de femme.

— Vous n'êtes donc pas tout seul ?

— Exact, ma petite demoiselle ; il y a Rotebœuf et moi. Je m'appelle Tuetête. Enchanté !
Il se tordait de rire. Et c'est notre estomac qui va être encore plus enchanté !

46

— Ma foi, j'ai l'impression... dit Étincelle en s'efforçant de faire son plus charmant sourire (mais où en trouvait-elle le courage, elle ne le savait pas elle-même) ...que vous auriez une existence plus agréable si vous aviez une ou deux servantes. N'y a-t-il vraiment personne d'autre qui habite avec vous ?

— Nos femmes, répondit le géant dont le visage s'assombrit, comme lorsqu'un nuage passe au-dessus d'un rocher escarpé, il y avait nos femmes ; mais elles ont toutes disparu maintenant. Il leva la main gauche, les doigts écartés. Elles étaient comme les branches d'un chêne. Il y a de cela cinq fois dix ans, peut-être six.

— Alors, ça vous arrangerait d'avoir une cuisinière, non ? Je sais très bien faire la cuisine.

— Une cuisinière ? Mais le géant continuait à penser à sa géante. Avant, nos femmes nous faisaient la cuisine. Mais maintenant... Il cracha par terre. C'est de la faute de Tissombre.

— Tissombre ? Étincelle savait en fait que c'était le nom du Nécromancien, en langue ancienne ; mais elle faisait semblant de n'en rien savoir. Mais qui est-ce ?

— Tu ne vas pas me dire... rugit le géant en secouant la tête, qui allait de droite à gauche, comme une cime d'arbre pendant une tempête,... que tu n'as jamais entendu parler de Tissombre ! Chez vous autres, moucherons, on l'appelle Malempire, le Nécromancien. Si seulement je pouvais le manger, lui ! Mais je suis

47

sûr qu'il a un goût horrible. Alors qu'une douce jeune fille... ajouta-t-il dans un gloussement, en lorgnant sur Étincelle.

— Alors, qu'est-ce que vous avez fait de vos femmes ?

Le géant émit un rugissement de colère, qui assourdit presque Étincelle.

— Ce qu'on en a fait ? Ce qu'on en a fait ? tonna-t-il. Il les a *plantées,* voilà ce qu'il en a fait. Là-bas, dans la forêt de Cimedarbre, il les a bel et bien plantées. Nos enfants aussi, nos cousins aussi, et nos grands-parents aussi. Ah, si seulement je le tenais, ce Tissombre...

« Mais, écoute, ma petite demoiselle, trêve de bavardages. Rotebœuf attend son dîner, et tu ne diras plus grand-chose quand tu seras dans la marmite. Nous sommes arrivés. Bienvenue à Tranchecou !

Tuetête donna de grands coups de poing dans le pont-levis. On entendit un rugissement qui lui répondait de l'intérieur, et un énorme visage, réplique exacte de celui de Tuetête, leur lança un regard furieux par-dessus les remparts.

— Regarde ce que je te ramène ! cria Tuetête en soulevant tout d'un coup Étincelle à vingt mètres ; son cœur se mit à battre la chamade, et elle faillit s'évanouir. Elle est jolie, hein ? Pour ça oui, ajouta-t-il d'un air songeur en la ramenant au niveau de ses yeux et en la contemplant comme s'il la voyait pour la première fois : — Elle est vraiment jolie. On n'a pas vu de demoiselle aussi succulente depuis qu'on

nous a planté nos femmes, pas vrai, Rotebœuf?

— Qu'est-ce que ça peut faire? marmonna
Rotebœuf qui se dépêchait d'abaisser le pont-
levis (encore que chez les géants, même en se
dépêchant, rien ne va très vite). Jolie ou pas, il
est probable qu'elle aura assez bon goût dans
notre marmite! Son rire fit trembler les murs
du château.

Tuetête entra par la grande porte du château; il faisait attention de ne pas assommer
Étincelle en la cognant contre le montant au
passage.

— Eh bien, tu vois, mon vieux, à vrai dire...
grogna-t-il d'un air dubitatif (mais son grognement était aussi fort que le bruit que font les
rochers en dévalant la montagne)... je ne suis
plus tout à fait sûr. Elle dit qu'elle sait faire la
cuisine. Oui, faire la cuisine : tu m'entends,
Rotebœuf! Je n'ai pas goûté à de petits plats
préparés à la maison depuis le temps de Chê-
nedor.

Comme il se souvenait de sa femme, son
visage s'attrista. Sa mâchoire tomba de vingt
centimètres et les coins de sa bouche s'abais-
sèrent, comme une voile qui s'affaisse.

— Mille seaux de sang, répliqua l'autre, tu
deviens gâteux, en vieillissant, Tuetête.

Étincelle enroulait le poil du géant autour de
son doigt, puis le déroulait. Si seulement elle
pouvait se procurer aussi un poil de l'autre
géant!

— C'est vrai, fit-elle de sa petite voix flûtée, je sais très bien faire la cuisine. Pourquoi ne me prenez-vous pas à l'essai, pour voir ce que ça donne ?

— Te prendre à l'essai ? rugit Rotebœuf avec un de ses grands éclats de rire. Te prendre à l'essai, tu dis ? Ah, ça, nous allons faire plus, nous allons te goûter ! Quand il ouvrait la bouche on voyait toutes ses dents jaunes, qui avaient la taille d'un tabouret renversé. Il avala sa salive, et sa pomme d'Adam se mit à monter et à descendre le long de son cou comme un canot pneumatique sur la mer par temps d'orage.

Ils se trouvaient maintenant dans le salon des géants : c'était une vaste pièce rudimentaire, pleine d'ordures et de casseroles sales, grandes comme des roues de moulin. Tuetête flanqua Étincelle sur la table, à six mètres de haut ; elle saisit son pendentif et se mit à le caresser doucement. Il brillait de tous ses feux.

— Non, mais regarde-la, dit Tuetête avec insistance, de son grondement le plus doux. Dis donc, elle est pas jolie, peut-être ?

Rotebœuf se passa la main dans les cheveux, qu'il avait pleins de nœuds. Il en tombait de grands flocons de pellicules qui gisaient sur la table et ressemblaient à des boules de neige. Et en même temps qu'elles... mais oui ! un de ses cheveux ! Chic ! Étincelle s'agenouilla et se mit à l'enrouler autour du petit doigt de son autre main. Ça allait mieux comme ça ! Encore un petit peu de temps ! S'il vous plaît, je vous en supplie, donnez-moi encore un tout petit peu de temps! Et pour faire bonne mesure elle se mit à frotter sa bague. Si en effet le temps pouvait s'éclaircir, peut-être ses amis la retrouveraient-ils.

La lumière du pendentif d'Étincelle vint se refléter dans les grands yeux verts de Rotebœuf qui se penchait sur la table pour y regarder de plus près.

Il pesait le pour et le contre.

— Heu... dit-il. Quand les géants pèsent le pour et le contre, ils le font pesamment.

Une bourrasque de silence s'abattit sur cette grande pièce. Comme Rotebœuf réfléchissait, ses lèvres, qu'il avait grandes comme des rampes d'escalier, remuaient.

Tuetête glissa une remarque :

— Il en reste encore d'autres dans la vallée, dit-il pour le tenter. Deux douzaines, à mon avis.

— Tuetête, espèce de clown, rugit Rotebœuf amicalement, en se redressant et en donnant à son frère une claque dans le dos, à la manière de quelqu'un qui abat un mur avec un marteau de forgeron : — Pourquoi tu ne me l'avais pas dit, hein ? (Ça lui donnait une bonne excuse pour ne pas manger Étincelle.) On n'a qu'à retourner dans la vallée et aller en attraper d'autres. Oui, bien sûr, tu as raison. Elle peut nous faire la cuisine. Remarque, il y a intérêt à ce que ça soit bon !

Et il sourit à la jeune sorcière, de sa bouche béante, qui ressemblait à l'entrée d'une caverne.

Étincelle eut un bâillement de chaton. Après ces envoûtements de géants, elle avait envie de dormir. Mais il ne fallait surtout pas se laisser aller. Il fallait rester en éveil. Ils n'étaient pas encore hors de danger, loin de là !

— Écoutez, leur dit-elle. Son pendentif se balançait et brillait d'un vif éclat. Êtes-vous amis avec le Nécro... avec Tissombre ?

On aurait dit que les géants venaient de recevoir un poids de dix tonnes sur les pieds. Ils se mirent à grogner, s'interrompirent le temps de réfléchir, puis poussèrent des mugissements de douleur.

— Amis avec Tissombre ? Os rongés ! Mille seaux de sang !

Puis Rotebœuf prit son frère par le coude.

— Mon vieux, lui dit-il prudemment, il faut faire attention. On est ici pour obéir à un sorcier, à certaines conditions, tu sais. C'est lui qui nous laisse habiter ici. Il y a des conditions !

Tuetête grogna de mauvaise grâce.

— Mais comment serait-il mis au courant, frérot ? Il n'habite pas tout près ; et, comme le dit cette demoiselle, il n'est pas de nos amis.

Et alors, au plus mauvais moment, alors qu'Étincelle venait justement d'arriver à leur faire avaler la couleuvre (avaler, pouah ! il valait mieux ne pas y penser), on entendit frapper à la porte du château. Loin, faiblement ; cela faisait le bruit de quelqu'un qui frappe sur un mince panneau de buis : toc toc toc.

Les géants se regardèrent, puis rugirent. C'était Yann qui frappait à la porte.

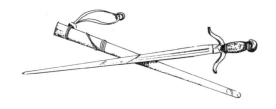

CHAPITRE XVII

ORAGE ET COUPS DE TONNERRE

Yann, debout à la porte du château, était résolu. Qu'allait-il faire? Il n'en avait pas la moindre idée. Mais jusqu'à présent il avait eu la chance (ainsi que le bon sens d'Étincelle) de son côté. Parler, parler à n'en plus finir, c'était maintenant la seule chose à faire.

Le pont-levis s'abaissa à grand fracas. La porte en s'ouvrant racla sur le sol, et on entendit un grondement. Rotebœuf se tenait sur le seuil, avec ses quinze mètres, et lui lançait un regard furieux, de ses yeux qui ressemblaient à deux pleines lunes.

— Viens voir, Tuetête! brailla-t-il. Ils viennent dans notre marmite! Ils y courent!
Il se mit à rire à gorge déployée.

Yann fut entraîné et propulsé à l'intérieur du château; puis on le planta sur la table à côté de la jeune sorcière. Les géants prirent du recul, et un grand rire les secoua.

— Et de deux! Ha ha ha! Un chacun! Ça alors, quel festin!

Ils se mirent à danser autour de la table, et la pièce vacilla et trembla; un nuage de poussière et de poudre tomba du plafond. Le sourd grondement des pieds de Tuetête ralentit, puis s'arrêta.

— Mais, écoute, dit-il à Rotebœuf d'un ton plaintif. Et notre cuisinière? Il faut la garder, elle!

— Oh, peut-être bien que oui, je suppose, rugit Rotebœuf avec un soupir d'ouragan. Mais alors, et lui? Il n'est pas cuisinier, lui!

— Écoutez, leur dit Étincelle d'un ton pressant, il pourrait vous être utile, extrêmement utile, même.

— Utile? s'étonna Rotebœuf. Nous être utile à nous?

— Écoutez, répondit-elle, écoutez-moi jusqu'au bout. Vous êtes des ennemis de Tissombre, non?

Les géants étaient immobiles, bouche bée.

— Désirez-vous… continua Étincelle de sa voix mélodieuse, désirez-vous…?

— Désirer quoi?

— Retrouver vos femmes? répondit Étincelle d'une voix claire. Vos femmes, vos fils, vos cousins? C'est ça, non? Le Nécromancien vous les a volés. Et il les a… qu'est-ce qu'il leur a fait, déjà?

— Il les a plantés, répondit lentement Rotebœuf.

— Qu'est-ce que ça veut dire, ça, il les a plantés? demanda Yann, interloqué.

— Eh bien, répondit Tuetête en fronçant les sourcils, de sorte que son front ressemblait à une falaise, il les a plantés, ça veut dire… qu'il les a plantés. Dans la terre. Il leur a fait pren-

dre racine; comme arbres. Tu comprends, non?

Les regards de Yann et d'Étincelle passaient d'un géant à l'autre. Ils avaient les articulations des doigts, et les poignets, noueux comme des troncs d'arbres. Ils avaient les cheveux verts. Tuetête avait une barbe verte. Leurs oreilles étaient déformées, dentelées, et avaient la forme de feuilles de chêne. Des arbres. Mais bien sûr! C'étaient des chênes! Mais des chênes qui parlaient, qui marchaient, et qui riaient à gorge déployée... et qui dévoraient la nourriture.

Étincelle joignit les mains. Elle sourit de son sourire le plus éblouissant et le plus implorant. Elle enroula les poils des géants autour de ses doigts:

— Alors, dit-elle instamment, vous comprenez, non? Nous pouvons vous aider.

— Nous aider? firent les géants en chœur. Des petits microbes comme vous, nous aider, nous?

Ils ricanaient à grand vacarme. Mais ils l'écoutaient.

— Certainement, répondit Étincelle avec assurance. Je suppose que vous, vous pourriez aussi nous aider, ajouta-t-elle d'une manière enjôleuse.

— Vous aider, vous? dirent encore une fois les géants en chœur. Mais pourquoi aurionsnous envie de vous aider?

— Yann, explique-leur où nous allons, demanda Étincelle.

Les géants, en écoutant Yann leur raconter leurs projets, fronçaient les sourcils : ils n'arrivaient pas à y croire.

— Mais écoutez, finirent-ils par dire dans un rugissement. Deux douzaines de petits moucherons de votre espèce ! Mais voyons, Tissombre pourrait vous écraser entre le pouce et l'index… comme ça ! Et nous aussi, nous pourrions le faire ! ajoutèrent-ils, menaçants.

— Nous savons bien que vous pourriez le faire, fit Yann, diplomate. C'est pour cela que nous vous demandons votre aide. Avec votre force à vous, plus notre magie à nous…

— Votre magie ? grommela lentement Tuetête. Tu ne m'as pas l'air tellement magique, petit Poucet. Mais il recula lentement d'un pas par rapport à la table.

— C'est vrai, dit Étincelle. Nous pouvons vous montrer, si vous voulez.

— Nous montrer ? grognèrent les géants, mal à l'aise. Nous montrer quoi ?

— Notre épée, répondit Étincelle de sa voix chantante. Notre épée magique. Voulez-vous la voir ?

Les géants firent signe que oui. Yann dégaina son épée, lentement et posément. Les géants plissaient les yeux pour la regarder. Pour eux, elle mesurait à peu près la moitié d'un tout petit couteau de cuisine.

— Ce machin-là ? tonna Rotebœuf avec mépris. Ça ne fait que dix de nos centimètres de chêne. Mais c'est bien simple, je pourrais le prendre entre le pouce et l'index, et crac! Ça ne vaut pas cher, votre magie!

— Vous confondez la force et la magie, dit Étincelle. Écoutez, on vous montre? Pas si vous avez peur.

— Peur! rugirent les géants. Nous!

Mais il y eut un silence et une certaine tension dans l'atmosphère avant qu'ils ne grommellent :

— Oh, bon, d'accord, qu'est-ce que vous voulez nous montrer?

— Eh bien, répondit Étincelle, si on éteignait le soleil, par exemple?

Et elle porta sa bague à sa bouche. Mais cela, les géants ne le remarquèrent pas, car ils étaient occupés à regarder l'épée de Yann. Laquelle, d'ailleurs, c'était curieux (n'était-ce qu'un reflet de la lumière du soleil?), semblait maintenant briller de sa propre lumière. Puis la pièce s'assombrit tout d'un coup. Dehors, des nuages noirs s'amoncelaient devant le soleil. Les géants se regardèrent puis regardèrent l'épée, ébahis.

Et à vrai dire, Yann et Étincelle étaient eux-mêmes presque aussi sidérés qu'eux. Clairbec avait toujours dit que cette épée devait avoir d'étranges pouvoirs. Et, Yann s'en souvenait maintenant, elle avait déjà brillé une fois, quand il se cachait de Double dans la cave de la chaumière. Mais, sur le coup, il avait cru que c'était un effet du clair de lune. Et au château de Virechoix il n'y avait aucun danger pour les menacer, et ils n'avaient donc pas pu mettre l'épée à l'épreuve. Même maintenant, qu'est-ce que cela pouvait bien vouloir dire ? Dieu seul le savait ! Mais l'épée brillait ; elle brillait de sa propre lumière, comme une bougie dans une pièce obscure.

Eh bien, se disait Étincelle, tout cela était incompréhensible. Mais quelle chance ! Et maintenant, il fallait leur faire peur pour de bon !

— Et maintenant, dit-elle, nous allons faire surgir un orage ! Si vous le désirez, nous pouvons faire tomber la foudre ici, à l'intérieur du château.

Elle appuya sur son anneau avec l'ongle de son pouce, et on entendit le tonnerre rugir dans le ciel.

Mais les géants trouvaient que cela suffisait. Ils levèrent leurs mains immenses, monumentales, en l'air, et secouèrent la tête.

— Non, non, non, ma petite demoiselle, dit Rotebœuf. Arrêtez ça. Nous, on n'aime pas les éclairs, hein, Tuetête ?

— Pour ça non, mon vieux, répondit Tuetête, d'accord. Mes pauvres chers parents ont été... foudroyés par un orage vraiment horrible, il n'y a que cent ans. S'il vous plaît, je ne veux pas d'éclairs.

Les géants, Étincelle l'avait compris, étaient en effet des monstres à forme de chêne. Et il n'y a rien au monde que les grands chênes redoutent plus qu'un coup de tonnerre.

— Alors, vous voyez bien ! fit Étincelle gaiement. Nous sommes bien équipés contre le

Nécromancien! Mais vous, nos grands amis, gazouilla-t-elle pour les flatter, vous ne voudriez pas nous aider un peu? Écoutez donc : si nous battons ce vieux Tissombre, et que nous trouvons ses livres de magie, savez-vous ce que nous pourrons faire?

Les géants la regardaient d'un air interrogateur et levaient les sourcils, en forme de quatre auvents de tente.

— Voyons! Vous devez certainement vous rappeler l'offre que je vous ai faite! dit Étincelle d'un ton impatient. Vos fils, vos cousins, vos grands-parents, vos femmes : nous pouvons redonner vie aux chênes de la forêt de Cimedarbre! Ils redeviendront des géants vivants! Mais, en échange, ce serait vraiment gentil à vous de nous aider, ne serait-ce qu'un tout petit peu.

— C'est un marché, fit Tuetête pensivement. Il n'y a pas d'autre mot, c'est un marché, Rotebœuf. Ma foi, on ne nous a pas proposé un seul marché honnête depuis que Tissombre a emmené son armée en Normancie.

— C'est très joli, tout ça, grommela Rotebœuf. Mais j'espère au moins que tu ne souhaites pas que nous nous rebellions contre *lui*!

— Non, répondit son frère. D'ailleurs, qu'est-ce qu'on pourrait faire, nous, contre toute cette magie noire? Il frissonna, et la pièce en trembla.

— Bon, dit Yann, alors, il n'y a qu'à nous laisser partir en paix. Ça suffit.

— Toute cette bonne viande humaine qui se trouve là, sur cette montagne, dit Rotebœuf d'un ton funèbre.

— Oui, mais notre jolie petite demoiselle a besoin de nous, dit Tuetête, et un éclair de sentimentalité vint adoucir les deux grandes mares vertes qu'étaient ses yeux.

— Oui, c'est bien ce que vous attendez de nous, n'est-ce pas ? rugit doucement son frère.

— Remarque, ç'aurait été bien agréable d'avoir une délicieuse petite cuisinière.

— Oui, mais nos femmes, Tuetête, pense à nos femmes ! Pense à tous nos amis, à toutes nos familles ; et à nos rejetons. Quel âge peuvent-ils avoir maintenant, dans la forêt ? Cinq fois dix ans, six ? Il faut obéir à la petite demoiselle. Gentil, Tuetête. Gentil, Rotebœuf.

— Oui, et gentille petite demoiselle. Jolie et gentille petite demoiselle.

Et les deux géants baissèrent la tête en signe de soumission, comme des arbres qui ploient dans la tempête.

Et c'est ce qui fut décidé. Les géants leur serrèrent la main, ou plus exactement Yann et Étincelle agrippèrent à deux mains le bout d'un de leurs doigts et furent presque soulevés de terre. Puis Yann rengaina son épée — le plus vite possible, avant que les géants ne remarquent qu'elle ne brillait plus. Ils sortirent dans la lumière du jour sur la montagne.

La sensation de la brise fraîche sur la peau leur parut délicieuse après l'odeur nauséabonde de la baraque des géants.

— Ouf! Ça fait du bien d'être sortis! Dieu merci, tu es saine et sauve! Et Yann, emporté par la joie et le soulagement, serra les deux mains d'Étincelle dans les siennes : — Bonté solaire, quand j'ai vu ce monstre t'emporter!

— Et moi, tu t'imagines ce que je ressentais? répondit Étincelle avec un sourire triste. Enfin, tout est bien qui finit bien.

— Si du moins tout ça finit vraiment bien. Tu crois qu'on peut leur faire confiance? A-t-on jamais vu pareilles brutes, avec leur esprit d'escargot... Ils ne vont pas changer d'avis après notre départ et nous poursuivre de leurs rugissements, au moins? Après tout, je suppose qu'ils sont là pour garder le défilé, pour le compte du Nécromancien.

— Exactement, ils me l'ont expliqué eux-mêmes. Mais je ne pense pas qu'il y ait lieu de s'inquiéter.

— Oh, je sais bien qu'ils nous ont fait une promesse solennelle, mais j'ai plutôt tendance à faire confiance à leur peur plutôt qu'à leur honnêteté.

— Oui, c'est ce que je voulais dire. Avec ces deux-là, les coups de tonnerre ont plus de valeur que les poignées de main. Mais nous disposons du tonnerre. Et Donnaccord les a impressionnés.

— C'est toi qui les as impressionnés, dit Yann.

Hardiloque et ses hommes étaient assis devant le château, à attendre. Ils avaient ramassé de la tourbe dans la lande, et avaient allumé un feu. Si la situation s'était avérée vraiment désespérée, ils avaient escompté lancer des flèches enflammées sur le château.

L'après-midi était maintenant bien avancé, et ils plantèrent leurs tentes dans la montagne, juste au-dessous du château de Tranchecou.

Yann se posait des questions :

— Et qu'est-ce que ça veut dire quand l'épée se met à briller ?

— Je ne sais pas. Mais je ne peux pas me débarrasser de l'impression que d'une façon ou d'une autre ça nous a aidés. Et je ne parle pas seulement de ce qui était évident, du fait que, quand elle s'est éclairée ainsi, les géants ont pris peur. Mais il doit bien y avoir une raison pour qu'elle brille. Rien que pour nous avertir du danger ? Peut-être, mais, sans savoir pourquoi, j'ai l'impression qu'il y a aussi autre chose. Clairbec ne t'en avait pas parlé ?

— Ma foi non ; à ce moment-là, nous ne savions ni l'un ni l'autre qu'elle brillait. Mais ne crois-tu pas que c'est toi qui l'as fait briller, en les ensorcelant ?

Étincelle effleura du doigt son médaillon.

— Mais oui, bien sûr, il y avait aussi cet élément. Mais souviens-toi de Maldonne et de sa façon *élégante* de te tuer. D'accord, c'était bien dans son caractère. Mais je ne peux pas m'empêcher de me poser des questions. On dirait presque que tes ennemis — comment dire ? — dépassent leurs propres limites.

— Nos ennemis à tous les deux, dit Yann. J'espère que tu as raison.

— Mais il y a une chose qu'on aurait dû faire plus tôt.

— Quoi ?

— Appeler le dragon de la terre. Si nous avions été en bons termes avec elle, je crois que nous n'aurions pas eu à subir un après-midi d'épouvante.

Par conséquent, le lendemain matin, après s'être redonné du courage en mangeant un bon petit déjeuner bien solide, Yann et Étincelle dirent aux soldats qu'ils avaient de la magie à faire et qu'ils ne rentreraient pas d'ici deux heures. Ils montèrent un peu plus haut sur la montagne, et quand ils furent hors de vue du camp, Étincelle fit un petit feu de rameaux de sorbier, tandis que Yann surveillait la scène. C'était certainement un endroit propice aux dragons. Le paysage était accidenté, tourmenté, plein de petits étangs marécageux nichés dans les anfractuosités ombragées des falaises. Les rochers étaient couverts de taches de lichen blanches et jaunes ; le sol était humide et spongieux sous la chaussure. C'était un pays vieux comme le monde, et tellement désertique qu'il paraissait dater d'une époque où l'humanité n'était pas encore née. C'était un paysage morne, désolé, sauvage, et pourtant imprégné par une curieuse sensation d'attente comme s'il entretenait une vie propre, glaciale et immobile, et comme si, sans les voir, il était au courant de leur arrivée. Ici, le vide était présence. Plateaux dénudés, où l'herbe était si rare qu'elle laissait dépasser quelques os du squelette de la montagne. Rochers qui ressemblaient aux articulations d'un poing serré, ou aux serres d'un oiseau de proie. Au-dessus d'eux, il y avait une arête rocheuse, qui ressemblait à l'épine dorsale de quelque géant. A l'extrémité de cette arête il y avait un promontoire en forme de lion couché ; il ressemblait, à vrai dire, au crâne d'un dragon dont les orbites osseuses vous contemplaient à travers la tourbe. Yann avait froid. Il n'avait pas envie de faire le travail qui les attendait ce matin.

Il s'accroupit devant le feu et tendit son anneau aux flammes. Puis, une fois que la forme du dragon se fut apparemment bien gravée dans l'or, il enleva son anneau pour regarder au travers.

Il y eut un silence.

Puis une voix grinçante se fit entendre, avec le bruit du métal qui racle le verre.

— Donnec, dit-elle, âpre. Pas besoin.

Devant eux, de l'autre côté du ruisseau, à une dizaine de mètres, se trouvait un trou sombre couvert de touffes d'herbe, qui ressemblait à l'entrée du terrier de quelque bête sauvage. Le trou se fit plus sombre, plus noir, comme si c'était une toute petite fenêtre qui donnait sur le ciel nocturne. Puis il s'emplit d'une lueur jaune. C'était un énorme œil doré, sinistre, l'œil sans paupières d'un reptile, qui les regardait sans ciller à travers la montagne.

Étincelle tripotait son médaillon. Yann avait les mains en sueur.

La voix rit ; on aurait dit des rochers qui se fendaient.

— *Méi-nec mam, gwena!* Ne vous imaginez surtout pas que vous pouvez m'amadouer !

La terre se souleva et s'ouvrit. L'œil d'un seul mouvement monta à trois mètres au-dessus du sol : il était incrusté dans une tête dressée, couverte d'écailles, qui ressemblait à celle d'un lézard géant. Les rochers de la montagne se fendirent de part et d'autre des deux jeunes gens, et deux immenses pieds fourchus sortirent de terre. Le dragon surgit de la colline aussi doucement qu'un poisson qui remonte à la surface d'un lac. L'eau du ruisseau (maintenant dévasté) gouttait le long de son dos cuirassé.

Ils étaient assis entre ses deux pattes de devant.

CHAPITRE XVIII

TREMBLETERRE

Yann et Étincelle étaient terrorisés, et ils avaient la langue tellement sèche qu'elle leur collait au palais : ils se trouvaient à cinq mètres des crocs de ce monstre, qui avaient la forme de sabres, et de sa langue fourchue, noire, qui allait et venait entre eux. De chaque côté d'eux, ses pattes, et ses serres, qui avaient un mètre de longueur, étaient plantées dans l'herbe comme des poignards.

— Alors, vous êtes muets ? leur demanda le dragon. Ou bien dois-je vous faire frire ? Elle ouvrit la bouche ; ses gencives et son palais brillaient à l'intérieur, comme un four chauffé à blanc. Ils faillirent s'évanouir, tellement il faisait chaud.

— Madame, dit Yann, la gorge sèche, nous nous excusons de vous déranger. Nous regrettons sincèrement d'avoir fait appel à vous il y a quinze jours. Il avala sa salive et continua (pour une raison ou pour une autre, le fait de parler rendait la situation moins difficile) :
— Nous venons de vous appeler à l'aide pour vous supplier de nous pardonner. Mais j'avoue

que nous n'avions pas compté vous trouver sous nos pieds.

— Ni d'ailleurs, dit le dragon d'une voix âpre, moi non plus. Nous sommes ici dans mon domaine de Terrécaille. Qu'est-ce que vous faites dans ma propriété ? Je me le demande bien. Plus personne ne vient par ici, depuis que le Nécromancien a installé son château au pied du mont Éterneige.

— Pour tout dire, madame, répondit Yann, notre but en venant vous voir était de vous présenter nos excuses sur place, en personne. Ce n'est que parce que nous étions dans une situation désespérée que nous avons abusé de votre anneau. Et nous vous supplions de nous pardonner.

— Tscha ! cracha le dragon, et un vent chaud leur souffla sur le visage. Comment être sûre que ce n'est pas la peur qui te fait parler si poliment ? Allons, reconnais-le, mon garçon, tu me crains. Tu as les genoux qui cognent l'un contre l'autre. Tu as tellement peur que tu as du mal à parler.

— Mon épée est dans son fourreau, répondit Yann en se levant et en regardant le monstre droit dans les yeux, qu'il avait dorés. Elle n'en sortira pas. Je vais vous dire la vérité, madame. Il y a eu un moment où j'ai eu peur : celui où vous êtes sortie de terre. Mais c'est fini maintenant. Car à quoi ça sert, d'avoir peur ? Vous ferez ce que vous voudrez. Vous êtes un être libre.

Et en fait Yann disait bien la vérité. Sa peur l'avait quitté et se trouvait remplacée par une sensation étrange de sa propre réalité. Il se tenait là, debout sur le sol dur, avec Étincelle à côté de lui. Il sentait la force de ses bras et la chaleur de son cœur. La terre et le ciel, ainsi que le dragon, se détachaient nettement devant lui et semblaient éclairés par une lumière interne. Tout cela était réel, et il allait falloir se montrer à la hauteur, pour son honneur comme pour le compte d'Étincelle.

— Pour ça, oui, je suis libre, dit le dragon avec un sourire pervers. Et pourquoi donc ne vous ferais-je pas frire ?

Yann lui répondit :

— Je ne crois pas que vous allez nous faire du mal, madame. Notre intérêt et le vôtre coïncident. Nous respectons la beauté de la terre, ainsi que votre propre beauté.

Et la beauté de ce dragon ne faisait en effet aucun doute. Ses écailles avaient les couleurs de l'arc-en-ciel : le violet de l'améthyste, le vert mousseux de l'agate, le vert blanchâtre de la chrysoprase. Quand elle ouvrait la bouche, on voyait à l'intérieur des gouffres du rouge fourbi de l'hématite. Son corps et sa queue, qui s'étendaient sur la paroi montagneuse, étaient à moitié rentrés dans la terre et ressortaient à moitié au-dessus du sol, comme une veine de cristal. Elle avait l'éclat, la souplesse et la force de la roche fondue.

Le dragon ronronnait comme un chat :

— Voilà de justes paroles.

Elle changea de position. Elle recula de trois mètres par rapport à eux, se mit debout sur ses quatre pattes écaillées, et s'ébroua comme un chien qui sort de l'eau. De la terre et des pierres tombaient de son dos à grand fracas. Elle sourit, mais cette fois c'était un spectacle moins effrayant. Peut-être était-elle flattée.

— Disons que je vous crois, dit-elle. Comment vous appelez-vous ? Étincelle... Yann. Oui. Vous êtes les premiers êtres humains que j'aie rencontrés depuis quatre cents ans qui ne se soient pas enfuis en criant en m'apercevant. Vous êtes fermes, vous êtes francs. Cela me plaît.

— Mais les gens de Caverville...

— D'accord ; mais c'est mon peuple. Ils me connaissent depuis toujours. Alors, qu'est-ce qui vous amène ici ?

— D'abord, vous présenter nos excuses, madame.

— Je les accepte. Mais qu'est-ce que tu as voulu dire par « vos intérêts et les nôtres coïncident » ? As-tu quelque chose à me demander ? Dans ce cas, il faudra me le demander poliment. Quand son propriétaire utilise cet anneau pour la troisième fois, il va à sa ruine. A moins que nous n'ayons d'abord conclu un marché.

— Nous sommes au courant, dit Étincelle. Et c'est un marché que nous sommes venus chercher. Mais pour cela il faudrait savoir comment vous vous appelez.

— Je m'appelle Trembleterre, dit le dragon en secouant fièrement la tête. Ah bon, alors c'est un marché, hein? Mais qu'est-ce que vous avez à m'offrir, à moi?

— Eh bien, franchement, rien du tout, répondit Yann. Sauf peut-être de vous satisfaire.

— Me satisfaire? dit le dragon. Il n'y a qu'une seule chose qui pourrait me satisfaire. Il s'agit de l'anéantissement du Nécromancien. Mais j'ai peine à croire... ajouta-t-elle, et ses yeux brillaient comme des lampes, comme elle regardait Yann et Étincelle... que vous arriviez à l'obtenir.

— Que nous y arrivions ou pas, dit Yann, c'est ce que nous allons tenter. Êtes-vous prête à nous aider, madame?

Trembleterre soupira et piaffa.

— C'est impossible, répliqua-t-elle. Pour un château normal, ordinaire, un coup de queue me suffit; comme vous vous en êtes d'ailleurs rendu compte à Malines. Mais le donjon du Nécromancien n'est pas construit sur la terre de ce monde. Il a ses fondations dans un monde — comment dirais-je? — qui se trouve derrière le nôtre. Si c'est cela que vous souhaitez que je fasse, votre requête est vaine, je le regrette.

— Hélas, dit Yann qui se mordait les lèvres, voilà qui est décevant. Mais pouvez-vous nous apporter votre aide en cours de route?

— Mais bien sûr, répondit le dragon. Je le ferai certainement. J'irai même plus loin : je soupçonne que, même au cas où le Nécromancien serait vaincu, vous aurez encore une fois besoin de mon aide. Eh bien, je vous l'accorde sans restriction. Je vous donne le droit d'utiliser mon anneau.

Il n'aurait pas été poli de repartir aussi vite. D'ailleurs leurs amis ne les attendaient pas de sitôt, car ils les avaient prévenus qu'ils risquaient d'être absents un bon moment. Après tout, si l'entrevue avec Trembleterre s'était mal terminée, toute tentative de sauvetage aurait été inutile.

— Excusez-nous, dit Yann, nous ne sommes que des êtres humains, et nous sommes très ignorants. Mais votre peuple, les habitants de Caverville, nous ont raconté que vous nagiez sous la terre comme un poisson dans l'eau.

— *Kweti, werom esti,* dit fièrement le dragon. Oui, c'est vrai. Je déplace la terre de la même façon qu'on déplace l'eau en nageant. La terre coule et s'ouvre devant moi ; et elle se referme derrière moi.

— Vous devez, dit Yann avec respect, avoir une force exceptionnelle.

— Bien sûr, répondit Trembleterre avec un sourire où éclatait l'orgueil. Nous autres, dragons, nous n'appartenons pas à la terre. Il y a des éternités, nous sommes arrivés ici ; nous venions d'une planète bien plus lourde qui tourne autour d'une étoile, dans les profondeurs de l'espace. Par conséquent, vous comprenez, pour nous votre terre n'a pas plus de densité que l'eau.

74

Elle se roula sur le dos pour s'amuser, et des éclaboussures de terre jaillirent tout autour d'elle, comme de l'eau autour d'une mare.

— Ah, c'était donc vous, demanda Yann qu'une idée venait de frapper, qui...? La nouvelle chute d'eau de Coulecœur, ajouta-t-il rapidement. C'est vous qui l'avez créée?

— Bien sûr que c'est moi, répondit le dragon, comme si c'était là une question stupide. Ou du moins c'était mon mari, le dragon du ciel, Tourbillon lui-même. C'est ce sacré sortilège, comprenez-vous? Tourbillon s'occupait tranquillement de ses petites affaires, il décidait du temps qu'il allait faire. Mais le sortilège de Mirivière devient de plus en plus fort. Il y a de drôles de courants qui sortent des portes de la Normancie, des appels d'air vers le haut, et des trous d'air inattendus. Ce pauvre Tourbillon! Il est venu trop près, il a été pris dans une brusque poche d'air, et il est tombé la tête la première dans le lit de la rivière. Les rochers se sont évidemment affaissés sous son poids.

— Il ne s'est pas fait trop mal? demanda Étincelle, inquiète.

— Pas trop mal? Bien sûr qu'il ne s'est pas fait trop mal! répondit Trembleterre. Pour nous, ce n'est pas plus grave que de tomber à l'eau.

Il était évident que ce dragon adorait par-dessus tout répondre à des questions sur elle-même et sur son mari. Ils restèrent à bavarder, jusqu'à ce que finalement Étincelle se dise que les autres commençaient peut-être à s'inquiéter.

— Eh bien, dit Trembleterre à contrecœur, cela me fait de la peine de vous voir partir. Cela fait longtemps que je n'ai pas eu de conversation aussi intéressante avec de simples mortels. Oh, quatre cents ans. Vous vivez si peu de temps ! mais il faut revenir. Ou plutôt, puisque vous ne reviendrez sans doute pas dans ces parages, rappelez-moi avec votre anneau. *Okwom minom inos aï sekweti*; son œil voit toujours le mien.

Elle leur tendit sa patte couverte d'écailles. Étincelle et Yann la saisirent prudemment par une griffe.

— A notre marché, dit Trembleterre.

— A notre marché, répondirent-ils.

Et à vrai dire ils allaient bientôt être obligés de faire encore une fois appel au dragon. Mais pas ce jour-là, ni le lendemain. Ils chevauchaient paisiblement sous l'épais nuage qu'Étincelle entretenait perpétuellement au-dessus d'eux pour les protéger contre les espions du Nécromancien. Le vallon devenait de plus en plus sinistre. Il n'y avait maintenant presque plus d'herbe sur les montagnes qui s'élevaient des deux côtés en immenses éboulis, ou en blocs de granit qui ressemblaient à des escaliers de géants. C'était le cœur du désert.

Le surlendemain de leur départ du château de Tranchecou, un nouvel incident vint les effrayer. C'était le soir et, comme d'habitude, ils avaient installé leur camp dans un des petits vallons qu'avait creusés dans le flanc de la montagne un petit torrent impétueux. Les tentes étaient dressées, il y avait un bon feu, et les hommes étaient en train de faire la cuisine dessus. Yann et Étincelle étaient assis ensemble à l'entrée de la petite vallée, car c'était leur tour de monter la garde. Ils étaient assis sur une saillie de pierre, et un pic rocheux les dissimulait à la vallée principale.

— On est encore loin, tu crois ? demanda Yann.

Étincelle frissonna :

— Trois jours au plus, et peut-être moins. Yann, nous y sommes presque.

Ils se regardèrent. D'après Clairbec, trouver la couronne ne poserait aucun problème. Elle était cachée sous un sorbier au pied du mont Éterneige. Mais, et le Nécromancien ? Il n'allait tout de même pas les laisser pénétrer dans son repaire et l'emporter. Il y aurait encore des difficultés, c'était sûr. Et en fait le Nécromancien avait-il déjà entendu parler de leur arrivée ? Qu'est-ce qu'il préparait à leur intention ?

A ce moment-là un bruissement parvint à leurs oreilles. Le brouillard, dans le vallon à leurs pieds, flottait de droite et de gauche comme un rideau. Et une tache sombre passa sous leurs yeux ; elle ressemblait à l'ombre noire d'un oiseau de proie traversant la vallée d'un vol hésitant.

Yann se mit debout d'un bond et fit un signe aux soldats qui se trouvaient derrière lui. Ils attrapèrent leurs armes et se faufilèrent pour descendre les rejoindre. Étincelle s'accroupit derrière les rochers et jeta un coup d'œil de côté, tout en tripotant son médaillon et sa bague.

— Yann! Yann! fit une voix au-dessous d'eux. Les soldats serraient leur lance. Arbalète, résolu, visait dans le brouillard.

— Yann, es-tu là? poursuivit la voix. Ces sacrées bottes! jura-t-elle. Yann! C'est moi, Clairbec!

— Attention, chuchota Yann, c'est peut-être une ruse.

Pourtant, cela ressemblait fort à la voix du sorcier. Yann s'avança de deux pas, prudemment, sur la pente. Et il vit alors arriver à sa rencontre quelqu'un qui tenait à la main une paire de bottes de cuir usées; c'était Clairbec lui-même, toujours aussi rondouillard et souriant; et en socquettes.

— Je suis heureux de te retrouver, mon ami! s'écria le sorcier. Ah! ces fichus chardons! Mais voilà aussi Hardiloque. Et Féal, et Loyal... Il serra la main à ses propres soldats; il gloussait de plaisir. Il regarda alentour et vit les autres. Mais tu as pratiquement toute une armée ici! Fais les présentations!

» Non! (fichus chardons) laisse-moi d'abord mettre mes chaussures. Et il se pencha, ouvrit un sac, et en sortit une bonne paire de solides chaussures de marche : — Voilà qui est

mieux. Alors, je voudrais savoir comment tout le monde s'appelle.

Il y eut alors des présentations. Clairbec serra la main de chaque soldat et eut pour Étincelle un drôle de sourire quand leurs doigts se touchèrent ; un sourire admiratif, mais avec une pointe de réserve.

— Magie, à ce que je crois, soupira-t-il pour lui-même, comme il reculait et se frottait soigneusement les doigts, comme s'il avait des fourmis dans les mains.

— Sorcellerie à ce que je crois, moi, répondit Étincelle, souriante.

— Et nous avons tous les deux raison, non ? dit Clairbec qui décida soudain de lui faire un large sourire.

— Vous ne vous méfiez donc pas de moi ? Après douze années d'apprentissage chez Maldonne...

Le sorcier leva les sourcils.

— Ah, c'est ça, je vois donc qui vous êtes ! répondit-il. Non, non, vous le savez d'ailleurs bien, magie blanche et magie noire, c'est du pareil au même ! Tout dépend de la façon dont on s'en sert. Mais la fille de Maldonne, ça alors ! Il va falloir que nous ayons une longue conversation.

« Mais plus tard ; plus tard. Je veux d'abord dîner. J'ai aussi faim qu'un chasseur : je n'ai rien avalé du tout depuis huit cents kilomètres au moins. Qu'est-ce qu'il y a dans votre marmite ? Avez-vous réussi à attraper de bons lapins bien gras? Il se frotta la panse d'un geste affectueux.

— Mais comment donc as-tu fait pour arriver jusqu'ici? lui demanda Yann, perplexe.

— Je t'avais bien dit, non, quand nous étions encore à Virechoix, que je viendrais te rejoindre. Je ne voudrais surtout pas rater la partie de plaisir à Minuit, tu sais. Ah, ce qu'on va s'amuser. J'ai terriblement hâte de voir Malempire et sa tête affreuse! Mais ne me posez pas de questions pour l'instant, il faut d'abord que je mange. Je vous l'ai bien dit, non? Ma foi, pour un sorcier, de faire huit cents kilomètres l'estomac vide, ça suffit à vous donner envie de vous mettre à grignoter votre propre bâton.

« Non, non, ce n'est pas la peine de t'en occuper, dit-il à Féal, comme ce dernier ramassait les vieilles bottes usées qu'il avait laissées tomber au bord du ruisseau : — Elles ont fait leur temps et ne peuvent plus servir à rien, maintenant. Pourtant, tu as sans doute raison, il vaudrait mieux les cacher. Pose-les sous quelques pierres, c'est ça.

« Non, non, mangeons d'abord.

Et ils s'installèrent pour le dîner; Clairbec dévora quatre lapins tout entiers, comme s'il n'avait rien mangé depuis quinze jours.

— Et c'est vrai, Yann, je n'ai rien mangé de tout ce temps, dit-il enfin, en s'adossant à la paroi rocheuse avec un soupir de satisfaction. Vous ne trouvez pas, demanda-t-il à Étincelle, que la magie c'est épuisant, que cela vous fatigue parfois ?

Étincelle baissa les cils et fit un signe de tête d'assentiment :

— J'ai dormi pendant seize heures quand nous nous sommes échappés de Malines.

— Vous vous êtes échappés de Malines, alors ? demanda le sorcier en sifflant doucement d'admiration. Il faut me raconter ça.

— Pas maintenant, interrompit Yann, impatient. Comment es-tu arrivé ici ? Et pourquoi as-tu tellement faim ? Et... Mais ça suffit pour l'instant.

— Eh bien, mon vieux, réfléchis un peu. A ton avis, qu'est-ce que c'est que ces bottes ? Qu'est-ce que c'était que ces bottes ? ajouta-t-il d'un air piteux en se frottant la plante des pieds. Je les ai usées jusqu'à la corde pendant le voyage de huit cents kilomètres que j'ai fait pour arriver ici. C'est très joli, ça, des gens comme vous qui se laissent porter doucement par leur monture ; vous avez une pauvre bête de somme qui fait le travail pour vous. Je voudrais bien vous voir faire le trajet à pied en bottes de sept lieues. Vous le sentiriez passer, et vous en auriez, des cors !

— Ah bon, ce sont des bottes de sept lieues, dit Yann d'un air songeur, en contemplant l'endroit où elles étaient cachées.

— C'est inutile de les regarder maintenant, dit le sorcier. Elles sont fichues. Vingt-cinq fois sept, c'est la mort pour le cuir ; elles sont usées jusqu'à la corde. Il n'y a plus guère que les mulots qui puissent en tirer leur profit, maintenant.

— Et il avait faim, en plus, dit Étincelle en se tournant vers Yann. La magie, vois-tu, ça représente vraiment un travail énorme. On arrive plus vite, bien sûr. Mais on se fatigue autant que dans un voyage normal. Huit cents kilomètres en une journée, dit-elle à Clairbec, l'air admiratif. C'est épatant !

Le sorcier saisit la fine main d'Étincelle et la tint entre les siennes, qui étaient grassouillettes.

— Vous comprenez la situation, à ce que je vois, lui dit-il. Elle est très compréhensive, cette fille, dit-il à Yann.

Yann ressentit un petit pincement d'une émotion inconnue. Il s'assit, et se mit à se poser des questions à ce sujet. Qu'était-ce donc ? De la jalousie ?

Mais elle n'était pas de mise. Étincelle se retourna vers lui : elle était aussi éblouissante et aussi chaleureuse qu'elle l'avait jamais été.

— Tu as une autre question à lui poser, lui dit-elle.

— Ah oui, dit Yann. Ces bottes, tout de même... J'imagine qu'il n'y a qu'une explication possible : ... la magie ça doit s'user aussi !

— Allons bon, dit Étincelle. Voilà une question vraiment épouvantable, Yann ! Mais elle se tourna vers Clairbec avec assurance, en se souriant à elle-même.

— Certaines sortes de magie s'usent, Yann, répondit le sorcier. Tu sais, cela dépend d'une seule chose.

Ils étaient suspendus à ses lèvres.

— Cela dépend si la magie est juste ou pas, dit-il.

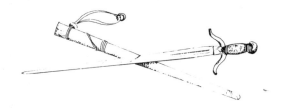

CHAPITRE XIX

DISCOURS SUR LA SORCELLERIE

Clairbec poursuivit :

— Tu comprends, la magie, ce n'est pas du tout ce que les gens s'imaginent. Il ne suffit pas d'apprendre par cœur quelques mots bizarres dans une langue exotique, pour les réciter chaque fois que l'occasion s'en présente. On trouve des sorciers de cette espèce en Normancie. C'est même pratiquement la seule espèce de sorcier qui existe en Normancie. Ils ont passé leurs livres, et même le Livre, au peigne fin. Ils ont appris toutes les formules par cœur et ils savent les réciter à la perfection. Ils choisissent soigneusement le lieu et l'heure. La pleine lune, heure où le bureau de Dame Ména-la-Métreuse est ouvert ; ou bien la nouvelle lune, heure où le bureau des étoiles fonctionne avec son rendement maximum. Des cavernes, pour être le plus près possible du cœur de la terre ; ou bien des tours, pour être le plus près possible du ciel.

« Mais tu connais ces drôles d'oiseaux colorés qui viennent de l'Orient ? Cela s'appelle des perroquets. Eh bien, est-ce que tu confierais... est-ce que tu confierais ne serait-ce que tes commissions à un perroquet? En tout cas pas tes sortilèges! Non, les paroles ne veulent rien dire, les lieux et les heures ne veulent rien dire, ils n'ont aucun pouvoir, si le sorcier ne connaît pas vraiment les mots. Je ne veux pas dire qu'il doit les savoir par cœur, mais bien les connaître à fond, les avoir vécus. Par conséquent un simple sortilège dont on ne se souvient qu'à moitié et qui est prononcé d'une voix trébuchante et entrecoupée peut avoir une chance de marcher, s'il est prononcé par quelqu'un qui en ressent la signification dans son cœur. Alors que tous les perroquets de Normancie, qui récitent sans accroc des formules apprises dans les livres, n'aboutiront jamais à rien.

Yann lui demanda :

— Est-ce que c'est pour cette raison que, pendant les cinq semaines que j'ai passées avec toi, tu as refusé de m'enseigner toute magie?

— Exactement, Yann. Ce n'est pas tellement que j'aie refusé de le faire, tu sais; mais simplement que ça n'aurait jamais pu marcher. J'ai bien commencé, tu t'en souviens, à t'enseigner des rudiments de sorcelais. Mais c'est une langue qu'il faut avoir travaillée et vécue, qui doit faire partie de ton cœur et de ton esprit, sinon tu ne peux même pas prononcer ton premier petit sortilège de débutant. C'est pour cette raison que tu as passé ton séjour chez moi en selle (encore que, fils de fermier, tu n'étais pas mauvais cavalier au départ), ainsi que sur le terrain d'entraînement, à manier l'épée. Ce sont là des choses simples, qui s'apprennent beaucoup plus vite.

— Mais, demanda Yann, s'il faut vivre et ressentir cette langue, pourquoi donc ne pas employer notre propre langue ? C'est tout de même celle-là que nous vivons et ressentons le plus fortement, non ?

— Oui, dans un sens, lui répondit Étincelle, prenant la parole. Mais dans un autre sens, non. Dis-moi, Yann, normalement, est-ce que tu penses au sens des mots que tu prononces quand tu parles ?

— Bien sûr que oui.

— Mais non, tu n'y penses pas ! lui répondit Étincelle en riant. Quand tu vas au marché à Trichefoire et que tu demandes une livre de beurre, est-ce que tu sens dans ta main le poids de cette livre que tu es en train de commander ? Est-ce que tu sens sur ta langue le goût du beurre doré quand tu prononces le mot « beurre » ?

— A vrai dire, non, répondit Yann. Tu as sans doute raison. Mais tu crois qu'une langue différente peut nous aider ?

— A sentir le goût du beurre ? Oui !

— Mais comment cela est-il possible ?

— Simplement parce que c'est une langue inconnue. Tous les goûts et les couleurs, tous les grains et les odeurs, tout cela est enfermé dans notre esprit, recouvert par la langue. Tu comprends, la langue c'est comme l'argent, comme un assortiment de petites pièces que l'on échange sans y réfléchir. Quand tu as une pièce d'un sou à la main et que tu la soupèses, est-ce que tu te dis : « Voilà une miche de bon pain bis » ? Pas du tout. De même, quand tu prononces le mot « pain », tu ne penses pas au pain en tant qu'objet, à la sensation des grains d'orge sur la langue, ni à la faim qui t'envahit l'estomac. Non, tu te contentes de poser le mot « pain » sur le comptoir, comme une pièce. Ce n'est qu'un gage, ce n'est pas un objet réel.

— Mais en quoi une langue inconnue peut-elle nous aider?

— Comme je te l'ai déjà dit, simplement parce qu'elle est inconnue. Elle donne à l'esprit un choc qui le sort de ses habitudes; de son habitude par exemple d'oublier la réalité et à quoi elle ressemble en fait. A condition d'avoir appris à vivre dans cette nouvelle langue, les mots restent directement reliés à la réalité, aux objets et aux sentiments qu'ils représentent.

— Oui, ajouta Clairbec, c'est exactement la même chose que la poésie. A vrai dire, la poésie n'est rien d'autre que cela : par l'intermédiaire des mots, elle fait surgir le monde et lui redonne sa nouveauté. Ce monde que tu habitais quand tu étais petit, que le monde était neuf et que tu savourais au maximum tous les goûts, toutes les sensations.

— Et c'est pour cette raison, ajouta Étincelle, que les sortilèges sont toujours des poèmes. Ils sont rythmés, et parfois rimés. Ils s'adressent aux rythmes secrets du corps et de l'esprit, au cœur même de l'individu. Car c'est là que se trouvent les sensations profondes du toucher et du goût, ainsi que les émotions de l'enfance : le concret, ce qui est réellement ressenti.

— Mais n'y a-t-il pas autre chose ? demanda Yann, intrigué. Les sortilèges ne commandent-ils pas à quelque chose qui est extérieur à moi ? Aux dieux ? Aux forces de la terre ?

— Mais si, répondit Clairbec, souriant. Mais les dieux, à ton avis, où habitent-ils ? Où est Ména-la-Métreuse ? Pas là-haut dans la lune !

— Mais tout de même, dit Yann en fronçant les sourcils, c'est la déesse de la lune.

— Oui, mais qui est vraiment la déesse de la lune ? Qu'est-elle ? Où est-elle ? Nulle part, sauf dans l'esprit humain.

— A vrai dire, dit Étincelle, ce n'est pas tout à fait exact. Car au plus profond de nous nous sommes reliés au monde, nous bougeons à son rythme, nous montons et nous descendons suivant ses marées. Si tu pénètres à l'intérieur de ton propre esprit et que tu en explores les profondeurs, où vas-tu aboutir pour finir ? Aux rythmes du monde, aux forces qui nous relient à la gravité de la terre, à l'immense force d'attraction des étoiles, avec leurs marées. Ména est à la fois à l'intérieur de toi et à l'extérieur, au-delà de toi. Mais Clairbec a raison, dans un sens : tu ne disposes que de ton cœur et de ton esprit comme outils pour la comprendre.

— Donc, d'après toi, dit Yann en fronçant les sourcils, je ne peux l'atteindre... qu'en m'examinant moi-même.

— C'est cela : l'entrée, c'est la sortie, et la descente, la montée. C'est à l'intérieur de toi que se trouve le chemin des étoiles.

— Alors, tu comprends, Yann, dit le sorcier, pourquoi il faut vivre la magie, habiter dedans.

— Oui, je crois que je comprends... en partie du moins. Mais alors, le sorcelais, est-ce une langue très ancienne ? Est-ce qu'elle date d'une époque où les hommes n'existaient pas encore ? Ou de l'époque de la Meute Sauvage ?

— Non, Yann, répondit Clairbec en riant. La langue la plus ancienne que nous connaissions, c'est la langue ancienne de l'Ombrasie. Le sorcelais est une langue *inventée*.

— « Inventée » ? Mais comment une simple invention peut-elle s'adresser à Ména ?

— Il ne faut pas oublier, en premier lieu, qu'elle ne s'adresse pas à Ména, mais à nous-mêmes. C'est une langue humaine. Il ne faut pas non plus oublier que pour Ména, ou pour Sterros, le dieu du ciel, le temps n'existe pas. Ou plus exactement il existe et il n'existe pas. L'avenir et le passé ne sont que des couleurs, des nuances de l'arc-en-ciel qu'est le temps. Le rouge pour le passé, le bleu pour l'avenir.

— Ce bleu, dit Étincelle, est d'ailleurs particulièrement utile pour la magie. Tu te rends compte ! Inventer une langue que les gens ne parlaient pas encore, mais qu'ils allaient finir par parler !

— Et c'est ça, le sorcelais, dit le sorcier en souriant. Et les sortilèges ne peuvent bien entendu fonctionner que dans un langage de cette sorte !

Yann se taisait, songeur.

— Mais il y a encore autre chose que je voulais te demander, dit-il. Cela ne te fait rien de changer un petit peu de sujet ? Parce que, même si le passé et l'avenir ne font qu'un pour Ména... Eh bien, pour *moi*, ce n'est pas le cas ! La Couronne, et Malempire, le Nécromancien. Tu m'as dit, quand nous étions à Milleroches, que la Couronne allait battre le Nécromancien. Que c'était pour cette raison que nous pouvions venir ici : parce que, une fois que nous aurions retrouvé la Couronne...

— A vrai dire, répondit le sorcier, c'est à la fois vrai et faux. C'est-à-dire que c'est vrai en partie. La Couronne nous donnera une chance de confondre Malempire.

— Comment ?

— En supprimant le pouvoir qu'il exerce sur ses partisans. En cassant le lien qui les relie à lui. Cette couronne, c'est la Couronne de l'Unité.

— Mais je ne comprends pas ; comment l'unité peut-elle détruire un lien ?

— Parce que ce lien n'est qu'un lien de fausseté. Ce lien, c'est le résultat de la séparation entre la lumière de l'esprit et de son obscurité. Malempire est cette obscurité. Et ce n'est que tant que la lumière restera emprisonnée, brisée, ravagée, hors de portée de l'esprit des partisans de Malempire que ces derniers continueront à être à son service. Quand la lumière et l'ombre auront retrouvé leur place naturelle, leur juste place dans le monde, comme le soleil qui projette son ombre réelle et légitime, alors Malempire perdra sa puissance.

— Alors, si nous retrouvons la Couronne, nous sommes assurés de réussir ?

— Au contraire, Yann, répondit Étincelle, nous n'en sommes nullement certains. Car il faudra encore se méfier de la puissance du Nécromancien. Ce n'est que si nous prononçons réellement le sortilège de la Couronne que nous obtiendrons le contrôle, ne serait-ce que de ses serviteurs.

— Et tu le connais, le sortilège de la Couronne ?

— Oh oui, nous le connaissons bien tous les deux. Tous les sorciers et toutes les sorcières des deux Royaumes l'apprennent pendant leur apprentissage. Mais il ne peut nous servir à rien, bien entendu, tant que nous n'aurons pas retrouvé la Couronne.

— Et Malempire lui-même, pourquoi ne sera-t-il pas battu par la Couronne ?

— Parce qu'il n'est qu'illusion. Il y a toujours l'ombre d'une illusion, même dans l'esprit le plus clair. Il est cette illusion.

— Je croyais que tu avais dit que la magie, c'était la réalité même ?

— Oui, mais vois-tu, certaines illusions sont réelles.

Yann se gratta la tête :

— Je regrette, mais je ne comprends pas du tout.

— Oh, c'est assez facile, en fait. Une ombre, c'est une illusion, n'est-ce pas?

— Euh, oui et non.

— Précisément. Tu comprends? Le Nécromancien est cette ombre.

— Oui, poursuivit Clairbec d'un ton pressant. Et si par bonheur nous retrouvons la Couronne, et si par bonheur nous arrivons à prononcer réellement le sortilège, nous ne pourrons espérer confondre le Nécromancien que s'il se montre à nous sous son véritable aspect.

— Lequel, d'après vous, est une illusion, dit Yann, qui levait les sourcils et riait.

Mais ses amis le regardaient sans l'ombre d'un sourire; ils étaient parfaitement sérieux.

— Oui, Yann, exactement.

— Bon alors, dit Yann en secouant la tête, je crois bien que nous aurions intérêt à abandonner ce sujet pour l'instant. J'ai l'impression que je suis tout près de comprendre ce que vous voulez dire, encore que je serais bien incapable de l'exprimer. Mais écoute, il y a encore une chose qui me tracasse depuis un certain temps. Nous voici assis dans le brouillard glacial, à mi-chemin des vallons de l'Ombrasie. Nous avons déjà affronté des dangers et il y en a d'autres, encore pires, qui nous attendent. Est-ce que nous n'aurions pas pu tous arriver ici d'une façon moins difficile?

— Je t'avoue, Yann, répondit Clairbec, que nous n'aurions pas pu remonter le cours de la Villaine. Les troupes de Malempire gardent cette vallée depuis Carrefleuve. C'était impossible d'arriver par là.

— Ce n'est pas ça que je voulais dire, dit Yann. Toi, tu n'as pas fait tout ce chemin. Est-ce que tu n'aurais pas pu te débrouiller pour trouver quelques paires de bottes de sept lieues de plus, pour nous autres ?

— Si, répondit le sorcier, j'aurais pu le faire. Mais ça n'aurait pas marché. Tu comprends, la Couronne elle-même ne fonctionne pas si l'on n'en vit pas la signification. Ce voyage, mon ami, est cette signification. Il faut réellement faire ce voyage, et il faut le faire toi-même. Personne ne peut le faire pour toi, de la même façon que les serviteurs d'un roi ne peuvent pas manger à sa place. Un sorcier, avec ses

bottes de sept lieues, pour te faciliter la tâche ? Mais non, ça ne marcherait pas du tout. La Couronne n'aurait plus de vie à tes yeux, elle ne serait plus qu'une simple œuvre d'art, un bel objet, en métal et en cristal, tout juste bon à être acheté et vendu dans un magasin.

— Et voilà, dit Étincelle, exactement ce qu'une œuvre d'art représente bien entendu pour la plupart des gens ! Un moyen de se vanter que l'on accroche au mur ; une bourse bien remplie. Un objet qui est sans nul doute beau, mais qui ne parle pas.

— Comme certaines femmes, dit Clairbec avec un sourire ironique, qui sont belles mais muettes.

— Étincelle, dit Yann avec admiration, est belle, et elle est loin d'être muette.

Étincelle lui lança un regard en dessous.

— Mais, écoute, dit Yann en se retournant vers le sorcier, toi, tu es arrivé par le chemin le plus court.

— Oui, répondit le sorcier d'un ton solennel, et c'est pour cette raison que je ne peux pas prononcer le sortilège de la Couronne moi-même. Lorsque le moment sera venu, ce sera à toi de la prononcer, ou à Étincelle.

» Bah, ajouta-t-il en bâillant et en s'étirant, les bras levés. Je suis fatigué, et cela suffit comme conversation pour ce soir. Il va falloir se lever à l'aube, demain.

CHAPITRE XX

CROC

— Zut, alors! grommela Clairbec le lendemain matin. J'ai oublié d'amener un cheval!

Il regarda autour de lui les hommes qui se
mettaient en selle.

— Avez-vous un cheval de charge supplémentaire? leur demanda-t-il.

— Après tout ce que tu as mangé hier soir,
dit Yann, j'imagine que nous en avons au
moins deux. Voyons, mais oui, prends donc ce
vieux Portebel. C'est un bon cheval, et il est
fort.

— Allons, mon vieux, répondit le sorcier,
trêve de plaisanteries sur mon embonpoint, je
t'en prie. Oui, c'est vrai, c'est une bonne bête
paisible, absolument idéale pour un vieillard
comme moi.

— Mais, voyons, vous n'êtes pas vieux, dit
Étincelle. Vieux en sagesse, peut-être.

— Bon sang, dit Clairbec qui riait à gorge
déployée, alors qu'il était en train de se hisser
péniblement (ainsi que sa panse) sur son cheval : Voilà une sorcière pleine de tact! Je
n'aurais jamais cru en rencontrer une!

Et ils repartirent donc, suivant leur formation habituelle, en chevauchant deux par deux : Hardiloque et Féal formaient l'avant-garde, Arbalète l'arrière-garde. Yann, Étincelle et le sorcier étaient à peu près au milieu de la colonne et bavardaient en cours de route.

— Est-ce que nous ne devrions pas nous mettre à l'avant ? demandait Yann. Nous approchons certainement du but maintenant, et si le Nécromancien avait des tours à nous jouer...

— Oh, des tours, il en a plus d'un, c'est sûr, répondit Clairbec. Mais le milieu de la colonne est la meilleure place pour nous. Qui sait s'il va nous attaquer par-devant ou par-derrière ?

« Mais comme je regrette, ajouta-t-il en regardant la couverture de nuages à soixante mètres au-dessus d'eux, que nous ayons tous ces nuages autour de nous. On ne peut pas voir le paysage !

Étincelle n'était pas d'accord :

— Vous ne parlez pas sérieusement, lui dit-elle. Il vaut tout de même mieux être protégés.

— Oui, c'est vrai, vous avez sans doute raison. Nous pourrons admirer les montagnes sur le chemin du retour.

— Si du moins il y a bien un retour.

— Il y a toujours un retour, s'écria le sorcier. Avec votre magie, plus la mienne ! Vous allez me dire que cela ne suffit pas ; je le sais. Mais il y a aussi l'inconnue : Donnaccord.

— Justement, répondit la jeune fille, je voulais vous poser des questions à ce sujet. Est-ce que vous croyez...

Clairbec l'interrompit :

— Je ne crois rien du tout. J'ai rangé mes pensées, je les ai mises derrière ma tête. Vous devez savoir que Malempire nous écoute, qu'il écoute en ce moment les mots qui nous passent par la tête comme nous nous approchons de son château. Enfin, je pense que nous devons être pratiquement à sa portée pour cela, maintenant. Il leva les yeux vers les pentes montagneuses qui les surplombaient et se passa la langue sur les lèvres : — Toute idée claire sur l'épée risquerait... le Nécromancien risquerait de la surprendre.

Étincelle blêmit.

— Il lit dans nos pensées ? chuchota-t-elle. Alors, à quoi sert cette couverture de nuages ?

— Très juste, répondit gravement le sorcier. Je crois que vous pourriez les mettre un peu plus haut ; soixante mètres de plus. Nous non plus, il ne faut pas que nous soyons pris par surprise.

Ils le furent pourtant.

Étincelle avait soulevé les nuages comme on le lui avait demandé, de sorte que maintenant ils dérivaient et filaient au-dessus des grands blocs de granit qui formaient les premiers contreforts de la montagne. Pourtant, bien qu'il n'y eût pas d'arbres, pas de buissons, et même presque pas d'herbe, il n'y avait aucun moyen de savoir ce qui pouvait bien se cacher sur ces pentes couvertes d'éboulis de pierrailles et de rochers éclatés. En chevauchant ils scrutaient les hautes pentes montagneuses qui les surplombaient des deux côtés. Ils étaient mal à l'aise et parlaient peu ; à juste titre.

Un cri retentit devant eux. Un des chevaux broncha, et le soldat Féal se trouva projeté la tête la première par terre. Il y eut un moment de confusion généralisée : les chevaux tournaient en rond et caracolaient ; leur colonne se sépara pour former plusieurs petites touffes de cavaliers, qui caressaient l'encolure de leurs chevaux pour les calmer. Deux soldats se retrouvèrent à mi-hauteur de la pente sur leur gauche : leurs chevaux, dans le premier moment de panique, s'étaient emballés et étaient montés jusque-là.

Devant eux, en avant de leur colonne, s'élevait un énorme rocher fendu, grand comme une meule de foin. Et par-dessus ce rocher on voyait dépasser le bout de trois doigts colossaux, comme si la main d'un géant s'agrippait à un dossier de chaise. Chaque doigt avait la taille d'un pilier de pierre. Ils suivaient à tâtons le contour du rocher ; puis ils se mirent à avancer maladroitement, à la manière d'un crabe, pour se rapprocher de Hardiloque et de son compagnon, qui était tombé par terre. Et alors la main tout entière apparut. Elle était énorme, aussi imposante qu'une maison à deux étages, et grise avec des taches de lichen, comme les rochers eux-mêmes. Et elle descendait pesamment la pente : elle ressemblait à une gigantesque araignée car, ils s'en apercevaient maintenant avec horreur, elle n'était attachée à aucun bras. Elle avait quatre doigts à l'avant. Elle avait deux pouces, un de chaque côté. A l'arrière, à l'endroit où aurait dû se trouver le poignet, il y avait quatre doigts supplémentaires qui se démenaient. On aurait dit qu'il y avait deux mains collées à une seule et unique paume. Et elle ne s'attachait à rien du tout. C'était simplement une main pesante, autopropulsée ; elle était grande comme quatre hommes et se déplaçait toute seule, de manière indépendante.

Le pauvre Féal avait été étourdi par sa chute. Il était étendu parmi les rochers, la tête sur une pierre grise et pointue. La chose se souleva sur ses doigts de derrière, comme un animal qui se cabre, le ramassa entre le pouce et l'index avec des craquements d'os broyés, et le fourra (Étincelle se mit la main devant les yeux) dans sa gueule immense.

En effet, comme cette créature se cabrait et se soulevait, ils aperçurent pour la première fois le dessous de sa paume. Et il y avait, comme une blessure à vif en plein milieu de cette paume, une bouche rouge, énorme, qui ressemblait à un gouffre ; elle était grande ouverte, baveuse, et entourée d'une frange de dents blanches et acérées.

La main mastiqua et avala. Elle recracha le casque et les bottes du pauvre Féal, comme si c'étaient des pépins de raisin. Elle fit un rot.

Puis elle se traîna plus loin. Le soldat qui se trouvait à côté de Féal se mit à hurler comme il se trouvait soulevé de sa selle et fourré dans la gueule affamée de la chose. Elle mâcha et bava. Puis elle jappa ; cela faisait un bruit désagréable, ridiculement faible pour une créature si énorme : elle jappait exactement de la même manière qu'un tout petit chiot gâté par sa riche maîtresse. Elle se remit en marche, et déguerpit.

Les chevaux et leurs cavaliers s'enfuirent à toute allure vers le fond de la vallée. Clairbec se retrouva tout seul dans les rochers, car son cheval était trop calme et placide pour réagir à toute situation, même celle-ci.

— Croc, murmurait le sorcier en lui-même. Voilà donc Croc, la main du Nécromancien.

Yann hurla au sorcier :

— Reviens par ici ! Mais ce dernier n'y prêta aucune attention.

Pendant ce temps, les archers de Grandif tiraient tant qu'ils pouvaient. Mais leurs flèches rebondissaient sur la carapace rocheuse de la chose, comme des cure-dents sur une pierre. Clairbec, très calme, restait assis sur son cheval, à trente mètres de là. Il levait son bâton de sorcier au-dessus de lui.

Du bout de son bâton jaillirent des flammes traçantes, pétillantes et crépitantes, qui atteignirent les flancs rocheux de la chose dans un grésillement d'étincelles et de fumée. Elle se mit à japper et à sautiller çà et là sur le bout

102

des doigts; mais elle continuait néanmoins à avancer.

Clairbec fit virevolter son cheval et retourna à toute allure vers les autres. Puis il leva de nouveau son bâton au-dessus de lui, et murmura dans sa barbe :

— *Donum dona, veram lucem, vera lux. Murum verae lucis dona, petrae nux...*

Il ne se passa rien.

Ou du moins, on avait l'impression qu'il ne se passait rien. Mais la main, qui continuait régulièrement à descendre pesamment vers eux dans la vallée, s'arrêta tout d'un coup. On entendit distinctement un craquement, comme si (pensa Yann) un marin distrait avait laissé son bateau heurter la jetée dans un port. La chose hésita, puis elle se mit à faire devant elle des mouvements vers le haut et vers le bas avec ses doigts, comme quelque main aveugle qui cherche à tâtons à franchir une paroi de verre. Puis elle s'élança contre l'obstacle invisible qui était devant elle, comme un ours qui tente d'enfoncer une porte. Mais en vain. Le mur de verre magique tenait bon.

Mais que faisait Étincelle pendant tout ce temps ? Elle aussi, elle s'activait : elle avait commencé par souffler sur sa bague, puis l'avait grattée avec l'ongle de son pouce. Au-dessus d'eux les nuages, de plus en plus bas, devinrent noirs de colère. On entendit des roulements et des grondements de coups de tonnerre dans la vallée. Le grésillement d'un éclair éclata dans les rochers, derrière la main. L'herbe commençait à roussir.

La main avait renoncé à ses vaines tentatives de percer le mur de verre-de-sorcier. Elle se cabra sur ses « pattes » de derrière et chercha à tâtons, du bout de ses quatre doigts aveugles, le sommet de ce mur. Elle se mit à grimper : ses doigts adhéraient au verre, comme des suçoirs de mouche; mouche énorme, grande comme une maison.

— Ça ne suffit pas, dit Clairbec. Ce mur n'est pas infini. Étincelle, n'est-ce pas possible de l'atteindre?

Étincelle fronça les sourcils et se mordit les lèvres. Sa foudre tomba encore une fois, à trente mètres du monstre.

— Quel fichu truc! marmonnait-elle. Ce que ça peut être dur de viser!

« Et, Sombrenuit! ajouta-t-elle, irritée. Elle a quitté le sol, maintenant. Vous savez, si elle n'est pas en contact avec la terre, l'éclair ne pourra pas l'atteindre.

— Il faut attendre qu'elle ait franchi le mur, fit Clairbec, et il se retourna vivement vers les soldats : — Marche arrière! leur cria-t-il. Redescendez vers la vallée!

La main se trouvait maintenant en équilibre en haut du mur invisible, comme si elle était portée par une toile d'araignée, à trente mètres du sol. Clairbec la frappa encore une fois de ses feux d'artifice : il espérait lui faire perdre l'équilibre. Mais ses dix « pattes » étaient solidement accrochées au mur par un effet de ventouse. Elle commençait à redescendre maladroitement.

— Yann! Yann! hurla soudain Étincelle. Reviens! Où vas-tu?

Yann remontait la vallée; il avait son épée, qui resplendissait d'un vif éclat, au poing, et s'avançait à pied, tout seul, vers le monstre. Il était tout de même grand temps qu'il découvre le secret de son épée. Cette créature était apparemment de taille à résister aux efforts conjugués d'Étincelle et de Clairbec. Autant valait mettre Donnaccord à l'épreuve, sinon ils seraient tous mangés. D'ailleurs son épée brillait comme un feu de joie, comme si elle était chauffée à blanc. Il fit un moulinet et se mit à défier le monstre en lui criant des insultes, tout un flot de railleries, ce qui lui redonnait du courage.

— Pattes de crabe! Cervelle d'araignée! Gros bidon! Poêle à frire!

Puis, d'un geste impulsif, il fit passer Donnaccord dans sa main gauche, se pencha, et ramassa une pierre. Il oscilla sur ses pieds, rejeta le bras à l'arrière, puis la lança de toutes ses forces, en plein dans la gueule grande ouverte du monstre.

La main la croqua, l'avala, et se lécha les babines; puis elle se remit en marche. Yann lança une autre pierre. De nouveau le monstre s'arrêta et l'engouffra. Et de nouveau il se remit en marche.

Yann fit demi-tour et s'enfuit à toutes jambes pour aller retrouver les autres.

— Yann! Yann! souffla Étincelle, les yeux brillants de colère. A quoi ça rime, tout ça? En plus... (elle lui fit la moue) ... à ton avis, comment est-ce que je peux frapper cette bête si tu es juste au-dessous?

Elle gratta encore une fois le cristal de sa bague et un autre coup de foudre, dont l'écho ressemblait à un roulement de tambour, vint pourfendre le fond de la vallée.

Mais le monstre ralentissait. Il avait visiblement trouvé que les galets que Yann lui avait lancés avaient bon goût. Il s'arrêta et en ramassa un autre avec ses doigts, puis l'avala. Puis il en prit un autre, puis encore un autre. Il parcourait maintenant le fond de la vallée à tâtons, saisissait les galets et les rochers par poignées, et se les enfournait dans la gueule. Il avait complètement oublié les soldats, qui se trouvaient à quelques centaines de mètres de là. Il s'empiffrait de lourds rochers. Et ses « pattes » cédèrent tout à coup, sous le poids de toutes ces pierres. Il s'écrasa au sol, comme une maison s'écroule sous le marteau des démolisseurs. Un nuage de poussière s'éleva. Ses « pattes » s'agitaient désespérément en l'air. Il était sur le dos, et se débattait comme une mouche.

— Allons-y, maintenant, dit Étincelle.

L'éclair fendit la vallée et vint planter un coup de poignard dans cette grande main, en plein milieu de la paume. Elle éclata alors et s'ouvrit comme un marron dans le feu, brûlée et noircie. Tout était calme dans la vallée.

Ils se regardèrent en silence.

— Eh bien, soupira le sorcier, on l'a échappé belle ! Qu'en pensez-vous ? Il me semble qu'il vaudrait mieux tenir conseil.

Ils serrèrent la bride de leurs chevaux et les disposèrent en cercle sur le sol de la vallée.

— Nous avons décidé, déclara-t-il, puisque vous avez vu les dangers auxquels nous nous exposons, de donner à chacun de vous l'occasion de renoncer à cette aventure. Nous ne pouvons pas vous promettre le succès, nous vous en avions prévenus au moment où vous vous êtes joints à nous. Et peut-être que maintenant, vu le genre de danger qui nous attend, notre quête a l'air vouée à l'échec. Je vous déclare à tous que, si vous désirez quitter notre troupe et retourner chez vous, vous pouvez le faire en paix. Nous vous remercions d'être venus jusqu'ici. Et ce n'est pas déshonorant, face à des puissances maléfiques surhumaines, de nous quitter maintenant. Si vous désirez vous en aller, dites-le franchement. Vous n'avez qu'un mot à dire.

Les soldats marmonnaient entre eux.

— Non, finit par dire l'un des soldats d'Étincelle. Nous sommes tous décidés : nous restons. Nous sommes au courant du danger depuis le départ. Nous sommes tous avec vous, comme un seul homme.

— D'ailleurs, dit un autre soldat en riant sous cape, le danger est aussi grand derrière nous que devant. Des géants et des dragons !

Non, merci. Je préfère la sale tête du Nécromancien : lui, au moins, il est humain !

Cela fit rire les soldats.

— Eh bien, en tout cas pour les dragons...
leur dit Étincelle... vous allez en voir un d'ici
peu, j'en suis sûre. J'espère que vous ne lui en
voulez pas car elle est, je crois, notre amie.

— Parfait ! fit le soldat. Un dragon, notre
amie ? De quoi pourrions-nous avoir peur ?

Ils poursuivirent leur route.

CHAPITRE XXI

VALBÂILLON

Encore une journée de moins à passer avant l'arrivée à Minuit. Monter la pente douce de la vallée ; passer entre les montagnes, sous les mornes nuages ; franchir des rochers et entrer dans une petite vallée verdoyante, brillante d'herbes des marais. Étincelle les rassembla de nouveau tous.

— Voici, leur dit-elle, le marais de Valbâillon. Bon ; alors, vous voyez l'ancienne route, là-bas, devant nous. Voyez comme elle serpente et zigzague dans ce marécage. Surtout, quoi qu'il vous arrive, ne quittez pas le chemin. Nous sommes devant un bourbier qui avale tout ce qui y pénètre.

» Et ici, ajouta-t-elle en prenant à part Yann et le sorcier, le danger est encore plus grand. Et si l'on nous attaque en plein milieu de ce marais ? Il n'y aurait pas moyen de s'échapper. »

— C'est vrai, dit Yann. Mais comment pourrait-on nous attaquer ? Ceux qui nous attaquent périraient eux aussi dans ce marais.

— Je n'en suis pas certain, dit Clairbec en levant les yeux vers le ciel. Il faut garder nos lances et nos arcs tout prêts pendant cette partie du trajet.

Ils suivirent son regard. Au-dessus d'eux tournoyait dans les nuages un vol d'oiseaux noirs, qui avaient l'air d'être aux aguets. Étincelle frissonna.

Ils avançaient donc prudemment et Hardiloque, en tête de file, examinait soigneusement chaque centimètre carré de l'étroit sentier avant de s'y aventurer. Ils avançaient en effet en file indienne maintenant ; l'ancienne route, construite plus de deux cents ans auparavant, s'était par endroits effondrée dans le marais ; et elle se trouvait par endroits interrompue par des touffes d'herbe des marais, qui empêchaient presque de voir où il fallait poser le pied. Leur colonne, qui serpentait, s'étendait sur plus de cent mètres ; elle était composée de petites silhouettes noires à cheval, qui n'étaient pas plus grandes que des têtes d'épingle, vues par les aigles qui tournoyaient au-dessus d'eux. C'étaient des aigles noirs, qui guettaient l'occasion ; au-dessous d'eux ils voyaient une ligne irrégulière de cavaliers disséminés sur une route étroite et pleine de méandres, au milieu d'un grand vide vert.

— A moi ! cria Hardiloque en tirant sur les rênes de son cheval.

Ils avançaient maintenant sur ce qui, apparemment, était toujours les solides pavés de la route, mais les pierres se déplaçaient et s'enfonçaient sous les pattes du cheval, qui hennissait, agitait la tête, et pataugeait péniblement, car il était pris dans la boue gluante qu'il avait sous les sabots. Plus il se débattait, plus il enfonçait. Hardiloque sauta à bas de sa monture et se mit à la tirer par les rênes. Mais lui aussi commençait à s'enfoncer, maintenant. Le marécage faisait un bruit de succion, un gargouillis, comme si c'était un être vivant en train de l'avaler goulûment. Il s'en dégageait une horrible puanteur ; et Hardiloque qui s'était jeté à plat ventre par terre pour tenter de se libérer de l'étreinte du marais en rampant, sentit la tête lui tourner, à cause de ces vapeurs nauséabondes.

— Les aigles ! s'écria Clairbec, et il les montra du doigt.

Et c'était vrai : les aigles, choisissant leur moment, avaient fondu sur eux, et ils montraient d'abord leurs mauvais becs et leurs méchantes serres, et tombaient du ciel pour s'abattre sur eux comme sur un troupeau d'agneaux. Le bâton de Clairbec crépitait et lançait des étincelles. Les flèches de Grandif sifflaient au-dessus de leur tête. Quatre oiseaux, transpercés par une flèche, ou bien grillés par le feu du sorcier, tombèrent, ballots dépenaillés de plumes noires. Les aigles,

111

voyant leur première attaque repoussée, remontèrent d'un coup d'aile et se rassemblèrent hors de portée des flèches, en poussant des cris.

Hardiloque était à moitié évanoui dans les vapeurs du marécage; ses camarades le tirèrent par la main et le sortirent de cette vase noire, et il regagna tant bien que mal la terre ferme.

— C'est très joli, tout ça, dit-il, l'air maussade; il enlevait la boue de ses vêtements en tapant dessus. Mais où aller, maintenant? Ce chemin n'est qu'une tromperie, il n'y a rien au-dessous, que le marais.

— Le dragon! s'écria Étincelle. Un feu, Yann, il nous faut un feu!

On dégagea un espace de cinq mètres entre les chevaux, on y alluma un feu de sorbier, et Yann regarda à travers le cercle doré de son anneau. L'œil du dragon apparut dans ce rond; c'était un œil de reptile, lumineux, qui ne cillait pas.

— *Am-manna*, mon ami! dit Trembleterre de sa voix rauque. Avez-vous besoin de moi?

— Oui, madame, grand besoin, répondit Yann. Nous sommes pris dans les bourbiers de Valbâillon. Et nous avons les aigles à nos trousses.

— Ce n'était pas malin de prendre ce trajet-là, dit froidement le dragon. Vous voyez, il vaut beaucoup mieux être dragon, et nager sous terre.

— Oui, madame, dit Yann, humble.

— Ça me fait plaisir que tu le comprennes, dit Trembleterre avec suffisance. Deux petites jambes de rien du tout... ou même quatre, comme vos chevaux. Et comme votre vie est courte, en plus! Je me demande parfois combien de temps la race humaine va pouvoir durer. On a fait mieux, comme expérience de la nature.

— C'est vrai, madame, dit Yann, de plus en plus humble. Comme le démontre le fait que nous avons un besoin pressant de vous en ce moment.

— Ne sois pas si impatient, Yann, répondit le dragon. Et ne t'en fais pas, j'arrive.

Et l'œil disparut, comme une chandelle mouchée par un éteignoir, et laissa un trou d'ombre derrière lui. Drôle de spectacle! A l'extérieur de l'anneau, en effet, les landes verdoyantes s'étendaient jusqu'aux nuages menaçants. Mais à l'intérieur de ce minuscule cercle, tel un trou creusé par une sonde dans l'univers solide et ensoleillé, s'enfonçait une noirceur sans fin, inimaginable, qui s'étendait à l'infini, comme un ciel dépourvu d'étoiles. Yann dut lutter contre lui-même pour se repasser l'anneau au doigt.

Ils attendaient sur la lande vide et se recroquevillaient pour se protéger des assauts des aigles. Clairbec et les archers arrivaient pourtant à les tenir à distance. Un soldat perdit son casque lorsqu'un oiseau le lui cueillit sur la tête, alors qu'il était en selle. Mais les oiseaux se lassèrent vite de fondre sur leurs proies. Chaque fois qu'ils le faisaient, leur plumage noir recevait une flèche, ou bien l'un d'entre eux se trouvait touché par une étincelle du bâton du sorcier et tombait, dans la puanteur des plumes qui brûlent.

Mais le dragon tint parole. Pendant une demi-heure ils restèrent à découvert sur l'ancienne route, et pendant une demi-heure il y eut des gerbes d'étincelles, des oiseaux qui fondaient sur eux, et des flèches qui sifflaient. Et puis il y eut un brusque jaillissement de boue gluante, accompagné d'un gargouillement, et le marais s'ouvrit à côté d'eux; et le dragon sortit la tête du marécage en la secouant, du même mouvement qu'un nageur qui reprend sa respiration. Les chevaux se mirent à hennir et à piaffer. Le dragon, qui ne voulait pas augmenter leur frayeur, resta sur place, le corps immergé dans le marais, les yeux, jaunes, brillant de... de quoi?... d'un mépris de reptile.

— Tscha! dit-elle de sa voix rauque. Qu'ils sont bêtes, les chevaux! Je ne comprends pas pourquoi vous trouvez bon de les utiliser.

— Pouvez-vous nous emmener de l'autre côté? lui demanda Yann d'un ton pressant.

— Mais bien sûr, répondit froidement Trembleterre. Mais attendez un peu. *Thérec tiñam kañtam.* Ne vous impatientez pas. Car l'impatience, vous savez, c'est votre grand défaut à vous autres, êtres humains. D'ailleurs, ce n'est guère surprenant, je suppose : vous avez une

114

vie tellement courte ! Soixante-dix ans, qu'est-ce que c'est ? Ce n'est qu'un clin d'œil dans l'éternité.

Yann commençait à comprendre que le dragon ne prenait ce ton froid que pour marquer l'ironie avec laquelle elle traitait l'ignorance des êtres humains, elle qui était une créature incroyablement âgée. Il essaya de contenir son impatience.

— Bon, très bien, dit le dragon du ton de la tolérance hautaine. Vous attendez, à ce que je vois. Mais il faut d'abord s'occuper de ces lézards ailés. Descendez de cheval. Accroupissez-vous par terre. Faites baisser vos chevaux, aussi.

— Et protégez-leur les yeux ! s'écria Yann, qui avait compris ce qui allait se passer.

Une fois qu'on eut mis de bonnes œillères à tous les chevaux, le dragon soupira.

— *Dwénil !* croassa-t-elle. Bien !

Les aigles avaient recommencé à tournoyer. Ils se laissèrent tomber en touffe sombre, comme un lourd nuage. Ils faisaient battre l'air pendant cette descente.

Mais Trembleterre leva la tête au-dessus du marais, bouche bée, et aspira l'air par ses immenses narines : on aurait dit le soupir d'une vague quand elle entre dans une grotte. Elle planta ses griffes dans le bas-côté de la route.

Puis elle rugit. Une bouffée d'air chaud passa au-dessus de leurs épaules. Des flammes jaillirent, jusqu'à trente mètres dans le ciel. Les aigles se desséchèrent et grésillèrent, comme des escarbilles dans un feu de joie. Ils redescendirent lentement au sol, en tourbillonnant, sombres flocons de neige.

Étincelle applaudit doucement :

— Merci, madame.

— Il y a de quoi me remercier, lui répondit le dragon de sa voix qui ressemblait à du verre cassé. Qu'est-ce que vous deviendriez sans moi ?

Tout le monde la remercia chaleureusement. Trembleterre reçut ces témoignages de leur gratitude d'une gracieuse inclination du cou.

— J'accepte vos remerciements, dit-elle. C'est un spectacle tellement inusité que celui d'êtres humains reconnaissants. Mais c'est bien agréable quand ça arrive.

« Et maintenant, mettez-vous sur mon dos.

Les soldats eurent un mouvement de recul. Certains se signèrent.

— Qu'est-ce qu'on fait des chevaux ? demanda quelqu'un.

— Les chevaux ? répondit froidement le dragon. Vous allez être obligés de les laisser ici. Ils ne veulent pas monter sur mon dos, vous savez.

Et c'est un fait qu'ils refusèrent de le faire. Ils se cabraient, ils poussaient des cris, comme des filles. Deux d'entre eux coururent vers les marais où ils s'enlisèrent, en poussant des hennissements pitoyables.

— Pauvres bêtes, dit Étincelle. Mais on ne peut pas les abandonner là comme ça.

— Bien sûr que si ! lui dit Trembleterre d'un ton méprisant. Ils se débrouilleront bien mieux que vous ne sauriez le faire vous-mêmes. Laissez-les partir, ils retrouveront bien tout seuls l'autre côté du marais. Vous pourrez revenir les chercher plus tard. Si du moins vous réussissez dans votre entreprise. A partir de maintenant, vous allez être à pied.

C'est donc à dos de dragon qu'ils quittèrent la vallée, en emportant avec eux autant de leurs provisions qu'ils pouvaient en transporter sans trop de difficulté. C'était triste de quitter les chevaux, qui étaient éparpillés le long de la route, tous tournés dans tous les sens ; ils hennissaient inconsolablement, car ils se rendaient compte qu'on les abandonnait. Mais, comme le fit remarquer Clairbec, une fois qu'ils seraient revenus au bout de cette route, ils trouveraient toute l'herbe qu'ils voudraient.

— Nous les reprendrons sur le chemin du retour, dit-il en manière de plaisanterie.

Mais les autres n'avaient aucune envie de sourire. Il n'y avait pas seulement la tristesse d'avoir abandonné leurs chevaux, qui était certes bien réelle. Mais ils se trouvaient maintenant du mauvais côté de Valbâillon, coincés entre le marais et le château du Nécromancien. Et ils en étaient maintenant réduits à la vitesse de leurs propres jambes d'hommes. C'était comme s'ils comprenaient enfin toute la gravité de leur situation.

Le dragon les déposa tout en haut de la

vallée. Loin derrière eux s'étendaient Valbâillon, la vallée de Mortlespoir, la forêt de Toqueval, et Malines, où Yann et Étincelle s'étaient vus pour la première fois — ils avaient l'impression qu'il y avait de cela plusieurs mois. Devant eux se trouvait le sommet du défilé. Et de l'autre côté, ils le savaient, se dressaient les pics glacés d'Éterneige, encore cachés par leur couverture de nuages ; et, au-dessous, le château du Nécromancien, Minuit. Ils établirent leur campement dans un silence craintif et se blottirent autour du feu, en ne se parlant qu'à mi-voix.

Pendant ce temps-là, Yann et Étincelle avaient emmené deux archers avec eux pour monter jusqu'au col, afin de reconnaître le terrain. Ils allaient peut-être voir pour la première fois le château de Minuit lui-même, et le grand lac en contrebas. Qui sait, ils pourraient peut-être apercevoir quelques signes de vie dans la forteresse du Nécromancien.

Mais ils espéraient surtout apercevoir l'arbre qui poussait près du lac Mireciel. Car Clairbec leur avait dit qu'au pied de cet arbre était enterrée la Couronne qu'ils étaient venus chercher si loin.

Il y avait du brouillard au sommet du défilé. Étincelle, en caressant sa bague, le souleva un petit peu. Il se mit à dériver silencieusement et se leva, pour former un toit blanc et doux. A leur droite se trouvait une paroi montagneuse triste, pleine de cailloux. A gauche, sa jumelle.

Mais, là, voilà qu'émergeaient de la brume des silhouettes sombres, debout.

Étincelle agrippa Yann par le bras et retint son souffle ; les archers levèrent leur arc.

— Ouf ! Ce n'est rien ! s'écria-t-elle. Elle eut un soupir de soulagement. Ce n'est qu'un groupe de pierres levées.

Ces pierres avaient sans aucun doute été plantées sur cette colline désertique par des hommes de l'époque préhistorique, avant même que l'Ombrasie ne s'appelle l'Ombrasie, à l'époque où la Meute Sauvage chevauchait encore dans la forêt de Toqueval. Il y avait un grand cercle de rochers, formé par vingt-quatre blocs de pierre rugueuse, placés debout, comme des colonnes mal formées ; ils avaient chacun la taille d'un homme. Dans le brouillard mouvant ils avaient eu pendant un court instant l'aspect de silhouettes humaines, dont l'une aurait eu la tête penchée sur le côté, une autre la tête dans les épaules, et une troisième le bras en travers du corps, comme pour dégainer son épée. Mais ce n'était qu'un cromlech (c'est ainsi que cela s'appelle), à savoir un cercle de menhirs ou pierres levées, qui ont été placés à cet endroit il y a bien longtemps dans quelque but oublié maintenant.

— Ça m'a vraiment fait peur, dit Étincelle en riant. Mais regardons un peu la vallée.

Ils montèrent précautionneusement jusqu'à la crête du col. Puis ils se mirent à quatre pattes pour jeter un coup d'œil de l'autre côté.

En cette fin d'après-midi, le soleil, déjà bas dans le ciel derrière eux, dardait ses rayons obliques par-dessous les nuages et venait frapper d'une lumière brumeuse mais dorée la montagne qui se trouvait en face d'eux. C'était sûrement le mont Éterneige lui-même! Son sommet était caché par des nuages, bien sûr; mais plus bas qu'eux, derrière l'un des bras du grand lac scintillant Mireciel, s'élevait un tout petit château. Qu'il était près! A deux kilomètres à peine! Un haut collier de pierre grise en formait le mur extérieur. En son milieu se dressait une tour élevée, aussi ronde qu'un mât, coiffée d'un toit qui avait la forme conique d'un chapeau de sorcier. Sur la gauche, devant le château, coulait une rivière étincelante, rocailleuse, qui venait du grand lac Mireciel et allait vers le nord. Tout autour il n'y avait que des collines et des vallons herbus, aussi désolés qu'une journée d'hiver. Plus quelques rochers éparpillés çà et là.

— Mais où donc est l'arbre? demanda Étincelle dans un souffle.

A vrai dire, on ne voyait pas un seul arbre dans ce paysage désolé. Ils scrutèrent du regard les rives du lac, à droite comme à gauche. Il n'y avait dans tout ce paysage rien de plus grand qu'un petit buisson rabougri, une touffe de roseaux, ou quelques iris jaunes; à part les rochers qui avaient la taille d'hommes armés, accroupis sur l'herbe, debout sur les pentes, et qui étaient éparpillés sur la montagne comme une armée en déroute pétrifiée. Mais nulle part, absolument nulle part, il n'y avait d'arbre.

Ils se regardèrent, abasourdis. Tout à coup, Yann eut un éclair de mémoire ; et en même temps sa conscience se réveilla et lui donna des remords. Mais bien sûr ! Ce que Maldonne avait dit ! Il en eut le cœur serré : pourquoi avait-il jusqu'à présent oublié les paroles de la sorcière ? Il avait cru qu'elle voulait le persuader, qu'elle lui faisait une description animée pour lui donner encore plus envie d'avoir la cape. Il les avait rangées dans un coin de son esprit pour les oublier. Il avait sans doute fait exprès de les oublier !

— Étincelle, dit-il d'un air lugubre. Je crois que je comprends : Maldonne m'avait dit quelque chose, un jour. Je l'avais oublié jusqu'à maintenant ; en fait, je crois que je ne l'avais jamais vraiment bien assimilé. J'avais trop à faire avec la cape, sur le coup.

Il la considéra, l'air désespéré.

— Mais qu'est-ce que c'est, Yann ? Qu'est-ce qu'elle t'a dit, Maldonne ?

— C'est l'arbre, balbutia Yann. J'avais complètement oublié. Oh, ajouta-t-il avec amertume, comment puis-je me pardonner de ne pas te l'avoir dit ? De ne pas vous l'avoir dit à tous ?

— Mais qu'est-ce que c'est, Yann ? Elle lui toucha la manche. Explique-moi ce qui se passe.

— Maldonne... Yann avait du mal à parler. Il s'éclaircit la gorge. Maldonne... dans son salon, dans le château... pendant que j'essayais la cape.

— Cette affreuse cape !

— Oui. Eh bien, elle m'a dit à ce moment-là (mais je ne l'ai pas bien écoutée, imbécile que je suis !) que l'arbre du Nécromancien, celui où est enterrée la Couronne, se trouve *à l'intérieur* de Minuit, *à l'intérieur* du château !

Ils se regardèrent, épouvantés. A quoi leur servait-il d'être venus ? Comment pouvaient-ils espérer pénétrer à l'intérieur du propre château du Nécromancien, et creuser dans les racines d'un arbre qui se trouvait au beau milieu de sa propre cour, à lui ?

— Crois-tu que Clairbec soit au courant ?

— Je ne sais pas. Je ne pense pas. Lui, il m'a dit...

— Je suis sûre qu'il t'a dit à l'extérieur du château, au pied du mont Éterneige. Rien que ça, ça serait déjà assez dur !

— Oui, mais à l'intérieur, alors...

Ils se tinrent fort par la main, et Yann l'aida à se relever, sur l'herbe. A ce moment-là, un minuscule nuage passa devant une partie du soleil. Son ombre traversa le lac, monta les pentes ridées d'Éterneige, et plongea un instant le château du Nécromancien dans une ombre intense. Cela fit un effet bizarre. Les solides murs de pierre eurent brièvement l'air de vaciller et de devenir transparents. Puis le nuage repartit. Plus gris et plus solide que jamais, le château les regardait fixement à travers la vallée. Un tour que leur avait joué la lumière.

Mais cela ne devait pas être le seul. Comme ils se retournaient pour quitter leur point de vue sur Mireciel, le brouillard s'abattit de nouveau sur le paysage. Étincelle, agacée, ronchonnait; elle frotta sa bague. Les nuages obéissants se levèrent bien un instant, mais ils redescendirent ensuite, plus lourds que jamais. Étincelle se débattait avec sa bague.

— C'est vraiment bizarre, tu sais, Yann, lui dit-elle lentement, mais je n'arrive pas à faire que ma bague fonctionne bien. On dirait presque que je... que je me bats contre quelque chose.

Ils regardèrent derrière eux la pente qui descendait vers leur campement. Un kilomètre et demi de landes à découvert les séparait de la cavité rocheuse où ils avaient choisi de s'abriter pour la nuit. A gauche, ils avaient maintenant le cromlech, à peine visible dans le brouillard. Et il y avait leurs deux gardes, l'arc à la main, qui faisaient les cent pas parmi les menhirs.

— Je vais les chercher, dit Yann. Il vaut mieux éviter de crier : on ne sait jamais qui pourrait nous entendre.

Le brouillard descendait maintenant par

bouffées et par bribes, alors qu'Étincelle essayait de le tenir à distance. Un lambeau de nuage humide leur passa devant le visage. Étincelle, en colère, le chassa d'un geste de la main.

— On a intérêt à partir en vitesse, dit-elle.

Mais, bonté solaire! Que faisaient leurs gardes? Il y a quelques instants, ils étaient debout au milieu du cercle formé par les pierres levées, à gesticuler et à bavarder. Mais voilà que, lorsque le brouillard se déchira de nouveau brièvement, on put voir qu'ils ne se trouvaient plus normalement appuyés sur leur arc à bavarder : ils s'empoignaient eux-mêmes et portaient les mains à leur propre gorge, et leurs arcs inutiles étaient tombés sur le sol à côté d'eux. Sous les yeux d'Étincelle et de Yann ils se penchèrent en avant, cassés en deux, et se mirent à déchirer leur col, comme s'ils avaient du mal à respirer.

Yann en oublia ses propres conseils. Il courut vers eux en poussant des cris et dégaina son épée, tout en se dirigeant droit sur le cercle de pierres.

— Yann! Yann! Arrête-toi! lui cria Étincelle pour le rappeler, en tombant à genoux tant elle avait peur.

Car le brouillard était redescendu en tourbillons, puis s'était encore une fois déchiré. Et pendant ce rayon de soleil soudain et bref (il n'avait duré qu'un clin d'œil), on avait pu voir les archers, à genoux au milieu du cercle de

pierres levées. Mais ce n'étaient plus des hommes, ils n'étaient plus faits de chair et d'os, ils ne portaient plus leur armure de cuir bien solide. C'étaient des pierres comme les autres et, comme les autres, rugueuses et voûtées; ce n'étaient plus que des formes mal définies, silhouettes agenouillées de deux rochers de la montagne, prises dans l'étau rigide de leur propre silence.

— Arrête! cria Étincelle.

Yann, horrifié, s'était arrêté, les mains tendues devant lui. Il y avait des pierres tout autour. Les deux gros rochers, tout de même, avaient bien été des hommes? Le brouillard redescendit encore une fois, mais cette fois à la manière d'une couverture de laine grossière, d'une couverture avec ses draps et ses oreillers, le tout appuyé sur le visage par un meurtrier sauvage. Étincelle, agenouillée sur l'herbe, se battait avec sa bague ; elle prononça dans un soupir un sortilège contre le mal.

— *Donum dona veram lucem* (donne-moi la lumière) *vera lux* (oh vraie, vraie lumière). *Lucem dona, tradat qui noctem* (trahis, oh, trahis donc l'obscurité !).

Bien sûr ! Vous pouvez avoir de la lumière, répondit le ciel ; autant que vous le désirez.

Le brouillard se dissipa. Le soleil se mit à briller de tous ses feux, rouge écarlate, cramoisi et or, dans le ciel bleu de pourpre. Loin, vers l'étendue désertique de Mornebrande, et plus loin encore, vers le scintillement voilé de la mer nordique, la journée s'achevait dans une gloire paisible. Coucher de soleil ; toutes les cordes de la lumière. Immenses harmonies de couleurs ; et, dominant tout le reste, en attente, dans l'expectative, magnifique, le rouge.

Mais où était Yann ? Où étaient les menhirs ? La colline était dénudée, aussi nue qu'une plage de sable blond, délavée par une marée de nuages. Il ne restait plus que les deux pierres recroquevillées qui avaient autrefois été les archers de la forêt ; elles étaient encore accroupies avec leurs mains de pierre sur leur gorge de pierre. Informes et impénétrables. Le sommet de la montagne était vide. Il n'y avait plus rien ; plus rien du tout. Le vent avait tout emporté.

Étincelle, allongée dans l'herbe de tout son long, pleura toutes les larmes de son corps.

126

Son visage se trouvait dans les racines de la bruyère, et ses petits pieds sur le chemin pierreux.

— Oh, Yann !

CHAPITRE XXII

ENTRÉE A MINUIT

Ce n'est qu'au bout de quelque temps qu'Étincelle remarqua l'épée, qui était encore dans la bruyère, à l'endroit où Yann l'avait laissé tomber; elle reflétait les couleurs de soleil couchant des nuages, et sa poignée reposait dans un bouquet de bruyère.

Donnaccord.

Elle la regarda un long moment avant de la ramasser. C'était peut-être bête, mais elle n'allait pas retourner voir les autres. Il y avait urgence : une demi-heure qui pouvait tout changer. Elle savait ce qu'elle allait faire : laisser un message pour Clairbec. Quelqu'un viendrait en effet bientôt les chercher. Elle regarda autour d'elle sur ce coteau et vit un grand galet plat et lisse, poli par la mer dont les rouleaux avaient baigné ces montagnes, bien avant le commencement de la vie sur la terre.

Elle y grava avec l'ongle un message en langue ancienne. Puis elle le cacha sous une touffe de bruyère et prononça un sortilège.

Bon, voilà qui était fait. Personne d'autre que ses amis ne risquait de retrouver ce galet, maintenant. Elle ramassa l'épée de Yann et se la passa à la ceinture; puis elle s'arrêta. Il vaudrait peut-être mieux envelopper l'épée dans quelque chose; si jamais elle se remettait à briller... Elle ôta son écharpe et l'enroula autour de la lame avant de se remettre l'épée à la ceinture.

Et maintenant... Mais pas dans ce soleil! Voyons si la bague s'est remise à marcher.

Elle marchait bien. Cette fois-ci, maintenant que les pierres levées avaient disparu, il n'y eut pas le moindre problème; la bague fonctionna instantanément. De la brume, rien qu'un petit peu de brume : pas trop, car elle voulait voir son chemin pour descendre la montagne, mais tout de même assez, car elle ne voulait pas qu'on puisse la voir du château du Nécromancien. Elle descendit la pente abrupte en marchant à moitié et en courant à moitié; elle fonçait dans les fougères, écrasait la bruyère sous ses pieds, elle dérapait et glissait parfois sur l'herbe humide, tant elle se dépêchait.

En courant elle réfléchissait à ce qu'il fallait faire. Valait-il mieux attendre qu'il fasse noir? Non, le château serait certainement aussi bien gardé à ce moment-là que dans la journée. Et quant à elle, en approchant du château, elle serait aussi bien dissimulée par la brume que par l'obscurité. De toute façon, le soleil baissait déjà. Il aurait peut-être déjà disparu derrière l'horizon au moment où elle atteindrait la porte du château.

130

Mais qu'allait-elle faire, une fois sur place? Eh bien, à condition de ne pas rencontrer Malempire, ce ne serait peut-être pas trop difficile. Les géants, c'est vrai, lui avaient posé de gros problèmes. Mais il faut dire que ce n'étaient pas des êtres humains, mais des êtres de bois et de verte sève. Son pendentif avait mis longtemps, très longtemps, à avoir de l'effet sur eux. Mais, avec des êtres humains... Ah ça, ce n'était pas la même chose! Les gardes à la porte du château ne seraient que de simples hommes. Elle pourrait les convaincre par ses paroles de la laisser passer aussi facilement qu'elle avait su se faire obéir des soldats de Maldonne à Malines.

Ouf! Elle arrivait enfin en terrain plat. Étincelle s'arrêta d'une glissade, et scruta l'obscurité croissante; elle s'aperçut qu'elle se trouvait au bord du lac. Bon, elle n'avait qu'à suivre le rivage par la gauche, cela la mènerait à coup sûr au château. Elle repartit en prenant plus de précautions qu'avant, car qui sait s'il n'y avait pas de gardes sur les berges du lac?

Mais non, elle ne vit personne. Les rives du lac, ensevelies sous la brume, étaient calmes et silencieuses. Il n'y avait que le bruit de la toute petite rivière, en avant, qui dévalait à grand fracas la pente rocheuse et allait au pas de danse vers le nord, vers Carrefleuve et vers la lointaine forêt de Toqueval. A part ça, silence total. On aurait pu croire qu'il n'y avait aucun être vivant à cent kilomètres à la ronde.

Elle traversa péniblement le torrent, en pataugeant à moitié. Pouah! L'eau était glaciale! Le lac de Mireciel était en effet alimenté par un grand glacier, venu des très hautes pentes qui séparent le mont Éterneige du mont Brume. Après tout, avoir les pieds mouillés, qu'est-ce que ça pouvait faire? L'important, c'était d'arriver jusqu'au château.

Le soleil avait plongé derrière l'horizon. Brume et obscurité. Où était le donjon du Nécromancien? Il se dressait, Étincelle le savait pour avoir soigneusement observé la vue du haut du col montagneux derrière la rivière, juste à côté d'une toute petite chute d'eau qui s'élançait du haut des falaises d'Éterneige pour plonger, dans un jaillissement gargouillant, dans le lac. Et ce torrent se trouvait à ses pieds maintenant! Le château devait donc se trouver au-dessus d'elle, sur la gauche.

Prends garde, Étincelle, fais attention maintenant! Il ne faut surtout pas être vue avant d'avoir atteint la porte! Prends garde où tu marches! Ne fais pas de bruit. Ah, voilà la chute d'eau.

Oui, c'était bien la chute d'eau. Mais où était le château? Herbe, fougère, bruyère; rochers et buissons. Et la cascade, qui tombait dans l'obscurité sur la paroi rocheuse et ressemblait à un fil d'argent terni sur une broche de jais. Et... bonté solaire! Un sorbier! Il était vieux, noueux, et couvert de baies et de petites feuilles pointues, qui ressemblaient à des poignards.

Mais quand ils avaient regardé le paysage du haut du col, il n'y avait pas d'arbre. Et où était le château maintenant?

Étincelle regarda autour d'elle. Pas de pierres, pas même de mur écroulé. Pas la moindre trace d'habitation humaine. Elle eut soudain froid. Était-ce magique? Était-ce là l'œuvre du Nécromancien?

Eh bien, il n'y avait qu'une seule façon de s'en assurer. Elle revint sur ses pas jusqu'au bord du lac, puis tourna, s'accroupit dans l'herbe derrière les buissons, et frotta le cristal de sa bague.

Les nuages s'entrouvrirent lentement et se laissèrent emporter vers l'est. L'obscurité se fit moins épaisse, et des volutes de brume se mirent à remonter les pentes du mont Éterneige, comme une couverture effilochée que l'on retire d'un lit. Et la lune apparut, un peu voilée au début; puis il y eut une déchirure dans les nuages, et un brusque flot de lumière, comme la lune quittait son linceul d'obscurité et éclairait ce paysage de sa lumière inquiétante, en noir et blanc. La montagne était dénudée, comme l'étaient les prairies qui s'étendaient à son pied. A l'endroit où le château aurait dû se trouver, il n'y avait rien; il n'y avait que le vieux petit sorbier qui lançait vers le ciel ses branches courbes, tordues, qui ressemblaient aux mains noueuses d'un vieillard.

Étincelle ne savait pas quoi faire. Mais c'était tout de même là de la sorcellerie, pour sûr! Elle manipula son pendentif, effleura sa bague, regarda l'épée qui se balançait à sa ceinture : elle brillait, elle brillait même à travers l'étoffe !

Eh bien, c'était donc que l'épée était au courant de quelque chose. Peut-être, si elle la prenait dans ses mains...

Elle la leva et déroula son écharpe, qu'elle se remit sur les épaules. Donnaccord brillait au clair de lune comme si elle avait été une lanterne longue et étroite ; et quand Étincelle la souleva, elle la sentit frémir comme un être vivant. Puis l'épée se redressa, comme un aimant attiré par un pôle magnétique, et se mit à indiquer une direction. Elle frémissait dans l'air, légère comme une plume, et pointait vers le sorbier.

Étincelle l'examina attentivement. Avait-elle changé, si peu que ce soit ? Elle regarda l'inscription gravée en rond tout autour de la poignée. *Tor nec donnavam,* lut-elle («Point ne refuseras les actes »). Mais non, cette inscription avait subi une infime transformation ! Il y avait maintenant une lettre supplémentaire, et les blancs étaient disposés d'une façon différente. On y lisait maintenant : *Nec donna, tvam-tor!*

Étincelle connaissait la langue ancienne aussi bien que la nouvelle. Ces mots contenaient un avertissement, et une nuance de puissance. Ils signifiaient : « Non-acte, livre-toi ! » A qui appartenait donc ce non-acte, qui refusait d'agir, d'accepter la réalité ?

Ce serait elle, si elle ne suivait pas la direction indiquée par l'épée. Ce serait peut-être le Nécromancien, dans le cas contraire, car il n'était qu'obscurité, qu'ombre affreuse des échecs, mensonges et duperies des êtres vivants, de chair et d'os. Elle devait donc réussir maintenant, car son échec risquerait d'augmenter les forces du mal, d'aider la magie du Nécromancien.

Elle s'avança ; elle suivit la direction que lui indiquait l'épée.

Et, à trente mètres du sorbier, apparut dans l'ombre une immense arche, qui se matérialisait doucement dans l'obscurité environnante par son miroitement, comme un requin noir que l'on voit surgir du fond d'un océan noir ; cette arche encadrait une porte de chêne, cloutée. Et l'arche et la porte se dressaient, solitaires, dans ce champ vide, sans rien devant elles ni rien derrière, à part l'herbe : solitude et néant. La porte de nulle part, fermée.

Précautionneusement, comme si elle risquait de se brûler, Étincelle avança le bout des doigts et toucha la porte. Oui, elle était bien réelle et solide. Mais comment l'ouvrir ? Elle n'osait pas frapper. Mais quand même, s'il n'y avait vraiment rien d'autre à faire...

Mais l'épée, elle, savait comment s'y prendre. Elle la tirait par la main, comme un cerf-volant tire un enfant ; elle était pointée vers le centre de la porte. Et la porte s'évanouit ; il ne restait plus que l'arche autour d'elle. Devant Étincelle s'ouvrait un gouffre d'obscurité plus noire que la nuit alentour, l'obscurité d'un immense couloir de pierre, faiblement éclairé par des torches. Elle eut un mouvement de recul. Mais non, il n'y avait personne, nulle sentinelle aux aguets, absolument personne dans ce sombre couloir. Tout doucement, et tremblant comme une feuille, elle franchit le seuil.

Derrière elle la porte se remit à miroiter et se referma sur la nuit extérieure. Elle se trouvait maintenant à l'intérieur du château du Nécromancien, derrière les murs de Minuit.

Mais comment trouver Yann ?

En entrant dans le cromlech, Yann avait jeté son épée par terre afin d'avoir les mains libres pour aider ses deux camarades. Ils avaient en effet bien l'air d'étouffer : ils avaient la main à la gorge et faisaient des efforts désespérés pour respirer. Il saisit l'homme qui était le plus proche de lui par le col, qu'il avait l'intention de déchirer... Mais ses doigts ne rencontrèrent que la pierre, la pierre dure. Il recula, épouvanté, sans même baisser les bras. Cette silhouette n'était qu'une pierre informe, et non pas un homme. Et l'autre aussi, à présent. Affolé, il regarda autour de lui : ces pierres ; Étincelle ; son épée. Où pouvait-il bien se trouver ?

Il se maudit d'avoir été assez fou pour jeter Donnaccord par terre. Elle se trouvait maintenant en dehors du cercle de pierres. Il fallait prendre ses jambes à son cou !

136

Mais on aurait dit que ses pieds avaient pris racine à cet endroit, qu'on l'avait cloué par les souliers sur l'herbe humide. Ses yeux étaient pleins d'un brouillard gris, et autour de lui il entendait des bruits de pas et des halètements qui ressemblaient à l'haleine profonde, rauque des chiens quand ils débusquent leur proie. Quelque chose de dur lui frappa l'épaule. C'était un des menhirs. Ils se déplaçaient tout autour de lui et se rapprochaient de lui. Il était entouré par ces énormes blocs de pierre grise qui avançaient sur lui de tous les côtés. Il ouvrit la bouche pour crier. Il n'en sortit aucun son.

La brume s'agitait, elle frémissait. Un vent froid se mit à souffler, et la brume passa rapidement devant les yeux de Yann, comme des nuages entraînés par une tempête de vent. La terre sembla se soulever et s'ouvrir sous ses pieds. Une ombre noire lui voila les yeux, puis s'évanouit.

Les pierres levées continuaient à l'entourer, tout comme avant. Mais on aurait dit qu'il avait tellement rétréci qu'il n'était maintenant pas plus grand qu'un enfant... ou alors étaient-ce elles qui avaient triplé de taille? On aurait dit, aussi, que le brouillard ne s'était dissipé que pour montrer ce qui en réalité se cachait derrière le cromlech : pas de lande herbeuse, ni de montagne, ni de ciel, mais bien un plafond accablant, fait de plaques de granit, et quatre murs de pierre aveugles, ornés par des torches et d'affreuses tapisseries, rouge cramoisi et noir. Les menhirs formaient maintenant un énorme cercle de piliers, massifs, d'allure brutale et primitive, qui soutenaient le grossier toit de pierre brute. C'était une pièce comme auraient pu en construire nos ancêtres les plus lointains : des colonnes rudimentaires, maladroitement extraites d'une carrière, à moins qu'on ne les ait ramassées au hasard, à flanc de montagne.

Et devant Yann était assis un petit homme gris, qui agrippait des deux mains les bras de son trône doré ; il portait une longue cape noire avec des broderies en or qui représentaient des symboles, et il avait sur la tête une couronne qui avait la forme d'une tête d'aigle. Yann, bouche bée, le regardait : c'était Perfidel !

Mais non, ce n'était pas lui. Mais ça lui ressemblait drôlement !

Le Nécromancien se leva et lui fit un sourire de serpent :

— Heureuse rencontre, mon ami, dit-il doucement. Cela a dû te faire une certaine surprise, je suppose.

Yann ne répondit pas. Il se maudissait, se traitait de fou. Il n'aurait jamais dû se précipiter dans le cercle de pierres. Il n'aurait jamais dû jeter son épée par terre. Si seulement il la tenait, maintenant ! En effet, les deux gardes qui se tenaient de chaque côté du trône de ce sorcier n'auraient pas eu le temps de faire le moindre geste qu'il aurait déjà embroché Malempire par le cœur.

— Pas du tout, mon ami, lui dit le Nécromancien, comme s'il lisait dans ses pensées, crois-tu que je sois si mal protégé que ça? Mais, à vrai dire, j'avoue que ton épée m'intéresse, en effet.

Il s'avança, la main tendue :

— Donne-la-moi.

Yann lui montra le fourreau vide. Puis il retrouva sa langue :

— Regardez vous-même. Je ne l'ai pas.

Malempire, le Nécromancien, en resta tout d'abord sans voix. Puis il se mit presque à crier de rage.

— Tu ne l'as pas! Espèce d'imbécile, pour qui tu te prends? Tu parcours mes montagnes comme un chevalier avec ta belle armure, tu me mets au défi de faire tout le mal dont je suis capable…? Et tu n'as même pas d'épée dans ton fourreau! Où est-elle? Où l'as-tu laissée?

Yann resta bouche cousue.

— Allons, dis-le-moi. Où est-elle?

Yann secoua la tête.

— Allons bon, voilà un obstacle imprévu, dit Malempire d'un air songeur; il allait et venait autour de Yann et l'examinait de la tête aux pieds : — Mais quel imbécile tu fais! Tu vois ça d'ici? Tu parcours tout ce chemin, tu fais un voyage de deux mois, tu fais tout le chemin depuis la Normancie pour venir m'apporter mon épée. C'est très gentil de ta part, je l'avoue. Et ensuite, à moins de trois kilomètres de Minuit, tu la perds, tu la laisses tomber dans l'herbe, ou bien tu la jettes derrière quelque rocher. Quel messager tu fais, hein?

— Messager, monsieur?

— Mais oui, mon messager, qui me rapporte mon épée. Ça fait cent années qu'elle est perdue. L'épée de mon grand-père, qu'il a forgée lui-même dans les Montagnes Interdites pour partir à la conquête de la Normancie. A qui crois-tu qu'elle appartienne, jeune homme? Mais à moi, bien sûr! Et tu me la rapportais!

Yann ouvrit la bouche pour répondre. Puis il la referma : il valait mieux le laisser parler, lui.

— Mais Malempire avait encore une fois lu dans ses pensées :

— Alors, comme ça, dit-il avec un ricanement, tu croyais que c'était de ton propre gré que tu me rapportais mon épée? Ça alors, vous autres Normanciens! De ton propre gré, tu parles! Si je n'avais pas souhaité que tu viennes ici, comment serais-tu arrivé? A ton avis, qui a bien pu donner cette idée à Clairbec au départ? Et comment, selon toi, en es-tu venu à être partisan de ce projet insensé? Et, d'après toi, c'est grâce à qui que tu es sain et sauf après tout ce chemin? Et à ton avis, qui est-ce qui a réglé son compte à Maldonne, hein? Mais c'est moi, bien sûr!

Yann n'était pas entièrement d'accord. Le Nécromancien avait tout de même fait beaucoup d'efforts au cours des quelques derniers jours : les géants, la main, Valbâillon. Il entendit ses pensées résonner comme si elles étaient exprimées tout haut. Il se passa un doigt sur la bouche pour s'assurer qu'elle était bien restée fermée.

— Vous autres, gens ordinaires, sans instruction, poursuivit Malempire, qui continuait à aller et venir, vous vous imaginez que vous êtes libres de faire ce que vous voulez. Mais moi, mon garçon, je reste installé à Minuit au centre de ma toile d'araignée, et je tisse. Tu sais comment je m'appelle en langue ancienne : Tissombre, l'araignée noire des temps anciens. On ne peut pas remuer le petit doigt en Ombrasie sans que je sois au courant. Aucun homme ne lève sa lance, aucune jeune femme ne berce son bébé dans son berceau sans que je le voie, sans que je l'aie voulu. Je suis installé au centre du monde, mon ami, ici même, à Minuit. Je tire les ficelles, je mets les mots dans la bouche des gens. Je dirige les marionnettes.

Non, se dit Yann, ça ne pouvait pas être vrai. En effet, à supposer que ça le soit, comment se faisait-il donc que Malempire soit tellement furieux qu'il ait abandonné son épée derrière lui ?

— Et en Normancie aussi, dit le Nécromancien en chassant les pensées de Yann d'un geste de la main. Ce que tu souhaites, ce que tu désires, toi ? Fi ! C'est moi la voix qui murmure dans ton cœur. Je suis dans l'ombre derrière toutes tes pensées, et je les dirige.

Non, se dit Yann ; Étincelle n'est pas une pensée de Malempire.

Le Nécromancien s'assit sur son trône. Il en serrait tellement fort les bras que ses articulations en devenaient jaunes. Il se pencha en avant et regarda Yann dans les yeux.

— Tu t'appelles... mon ami?

Yann ne répondit pas. Il se mit à penser à... non, pas à Étincelle, il ne fallait surtout pas. Il ne fallait pas la trahir, même par l'intermédiaire de ses pensées. Alors à... au port de Batellande.

— Batellande, dit le Nécromancien en fronçant les sourcils, comme s'il avait lu ce mot sur une page suspendue dans l'air entre eux deux. C'est ridicule! Ton nom! Ton nom!

Yann eut l'impression qu'une ombre tirait sur ses pensées et s'infiltrait de force parmi les paroles qu'il ne prononçait pas, comme si une main obscure entrait en lui pour saisir le centre même de son esprit. Elle recherchait sa personnalité, sa volonté, la toute petite flamme de chandelle qui était tapie à la racine de son identité. Par un effort immense il arracha de son esprit toute parole, et y fit surgir des images de soleil et de vent, d'une journée de tempête à Batellande, avec les bateaux qui dansent dans le port, et les vagues étincelantes qui se brisent.

— Non, mon ami, regarde-moi dans les yeux. Tu vas me le dire; mais oui, tu vas me dire comment tu t'appelles.

Cela donnait l'impression d'un courant qui emporte un bateau et l'entraîne vers la côte et ses rochers. Mais non, pensa Yann, le port de son imagination représentait la sécurité pour le bateau, qui se trouvait solidement attaché au quai. De toutes ses forces il se mit à fixer du regard les broderies brillantes de la cape du Nécromancien. Vagues, lumière. Il n'allait pas regarder le visage de son ennemi, il allait se rappeler le scintillement des vagues, et son petit bateau de pêche qui tirait sur ses amarres. Les solides jetées en pierre de ce petit port et, derrière, sur la haute falaise, le soleil qui miroitait sur les murs blanchis à la chaux de la maison de sa mère. Comme il scrutait le paysage dans ses souvenirs, il sentait presque la chaleur du soleil sur son dos ; il avait les yeux à demi fermés, dans son effort. Un tout petit nuage, pas plus grand qu'une main d'homme, se glissa vers le soleil (quasiment derrière le dos de Yann) et s'y cramponna de ses doigts brumeux. Mais dans l'esprit de Yann le vent se leva, franche bourrasque froide qui racornissait les doigts fumeux de l'ombre. Le nuage oscilla, tenta de se raccrocher à l'air, puis disparut. Le soleil se remit à briller sur les épau-

les de Yann, de sa calme chaleur. Quant à
Malempire, il écumait de rage.

— Où est l'épée? hurlait-il. Puis sa colère
s'évanouit aussi rapidement qu'elle était ve-
nue. Aucune importance, aucune importance.
Je vais jeter un sort. Lentement et doucement,
pendant que la nuit se fait noire. Il jeta un coup
d'œil vers la fenêtre et regarda l'obscurité qui
s'épaississait : — Cette soirée est parfaite pour
un sortilège de cette espèce. Demain... Ah ça,
tu vas voir. Je vais inscrire un cercle magique
sur le sol de la tour, et tu vas te tenir en son
centre. Je vais te clouer un poignard de sorcière dans le souffle de ton cœur, et je vais
forcer les mots à sortir de ton cerveau en hur-
lant. Tu vas me dire... absolument tout.

« Et quant à tes amis, là-bas sur la montagne... il y aura un sortilège pour eux aussi.

Yann gardait les lèvres bien serrées. C'était
un effort si intense que cela lui faisait mal.

— Pauvre imbécile, va! lui dit Malempire
d'un air presque apitoyé. Tu vas voir! Et ce
soir... Eh bien, tu peux te rafraîchir les pieds
dans mon cachot et penser à demain matin.

Un courant d'air fit bouger les tapisseries du
mur quand il se mit debout. Sur son front la
couronne d'aigle scintillait, et des étincelles
sortaient de ses yeux noirs de jais comme
d'une torche.

— Gâchefer! Maurien! Il appelait ses gardes. Emmenez-le!

Bon, se dit Yann, les yeux secs, en scrutant
l'obscurité de sa prison; mais je me demande

bien comment ça se fait qu'il ressemble tellement à Perfidel! Mais il y a au moins une
consolation : Étincelle est en sécurité.

CHAPITRE XXIII

MIRECIEL

— Yann ! Yann !

Cette voix lui sifflait dans les oreilles, doucement, avec insistance ; c'était la voix d'Étincelle.

Yann se réveilla en sursaut :

— Étin... !

Mais Étincelle lui mettait la main sur la bouche :

— Chut ! lui dit-elle. Ne fais pas de bruit. Mais comment tu as pu t'endormir dans ce lieu !...

Elle regardait autour d'elle les murs de pierre, nus, le plafond qui dégoulinait, et le sol de terre battue que quelques galets rendaient raboteux.

— Mais chut ! Il ne faut pas perdre de temps. Ça m'a déjà pris assez longtemps de te retrouver. Suis-moi.

Yann, abasourdi, rassembla ses esprits : oui, il était allongé dans le cachot, chez Malempire ; oui, c'était bien Étincelle qui se penchait sur lui. Il se leva tant bien que mal, se frotta les yeux ; il sentait soudain une bouffée d'espoir.

Il sortit sur la pointe des pieds par la porte ouverte.

— Mais comment...

— Pas le temps pour l'instant, murmura Étincelle. Viens par ici.

A la porte, le garde dormait sur sa chaise, la bouche ouverte, et ronflait comme un goret. Étincelle, une lanterne à la main, passa devant lui et ils montèrent l'escalier de pierre, sortirent par un couloir, prirent un corridor courbe sur la gauche; puis il fallut monter un autre escalier, sortir dans une cour. Une arche sombre se dressait, menaçante. Derrière elle, un haut couloir; et au bout...

La porte.

Étincelle portait Donnaccord à la ceinture. Mais à quoi bon se donner le mal de l'utiliser? La porte était fermée de l'intérieur par une barre de bois : pas compliqué. Ils repoussèrent cette barre et sortirent dans le brouillard.

— Il y a encore de la brume, souffla Yann.

— Oui, répondit Étincelle, ça va nous protéger pendant qu'on s'enfuit.

Ils prirent leurs jambes à leur cou, et filèrent aussi vite que le permettait l'obscurité, ces tourbillons de ténèbres.

Le lac n'était pas loin. Ils commencèrent à le contourner par la droite en courant, pour retourner vers la petite rivière, la montagne, et leurs amis. L'eau clapotait, l'herbe bruissait sous leurs pas. Étincelle ralentit soudain.

Elle saisit Yann par la main.

— Alors, tu es sain et sauf. Il ne t'a pas fait de mal.

Ils s'aperçurent qu'ils se serraient fort l'un contre l'autre.

— Comment te remercier? demanda Yann. Je dois la vie...

— Chut! lui répondit-elle en souriant. Bien sûr que oui!

Ils continuèrent à avancer.

— Comment es-tu entrée? Et comment as-tu fait pour passer devant les gardes?

Étincelle fit claquer sa langue.

— Bah, c'était facile. Je suis entrée tout droit par la porte, je me suis cachée dans la salle de garde...

— Tu as bien dit dans la salle de garde?

— Oui : elle était vide. Ils étaient tous ailleurs à faire la noce. Les gardes...

— Oui, justement, les gardes... C'est absurde : pourquoi est-ce qu'ils ne gardaient pas la porte?

— Écoute, dit Étincelle malicieusement. Ça, c'est un truc que je vais bientôt t'expliquer. C'est Donnaccord, tu comprends. Et elle défit l'épée de sa ceinture et la tendit à Yann :

— Prends-en bien soin, surtout. Je pense qu'il faudra désormais l'appeler toujours par son nom. C'est une épée tout à fait extraordinaire.

Yann remit encore une fois Donnaccord dans son fourreau. C'était confortable de la sentir qui se balançait contre ses hanches.

— Je veux bien te croire, mais quelles sont précisément...

— A vrai dire, ce n'est pas tant une épée qu'une clef : la clef de Minuit.

— La clef du château du Nécromancien ?...

— Tu vois, quand j'ai grimpé cette pente, là... (tiens ! à propos, voici la petite rivière...). Mais où est-ce que j'en étais ! Ah oui ! Quand j'ai grimpé cette pente, il n'y avait pas de château.

Yann, qui se trouvait à ce moment-là en équilibre sur une pierre au milieu du torrent, faillit en tomber. Il oscilla de droite à gauche, avant de retrouver son équilibre.

— Mais qu'est-ce que tu veux dire au juste ?

— Pas de château, répéta Étincelle. Et elle lui raconta ses aventures : comment elle était sortie du brouillard, n'avait plus trouvé de château, était retournée au bord du lac, avait fait reluire sa bague magique. Comment elle avait vu le paysage baigné dans la blanche lumière de la lune. Mais il n'y avait toujours pas de château. Et comment, tirant Donnaccord de sa ceinture, elle l'avait sentie frémir dans sa main ; comment l'épée s'était pointée dans une direction et avait finalement ouvert la porte de Minuit.

Yann se taisait et réfléchissait.

— Eh bien, finit-il par dire, ça a l'air relativement clair, il me semble : quand la nuit tombe, le château disparaît. Et à ce moment-là, la seule façon d'entrer...

— C'est d'utiliser l'épée. D'utiliser Donnaccord. La porte apparaît ; avec seulement du

vide tout autour. Mais une fois qu'on l'a fran-
chie, on se retrouve à l'intérieur du château.

— Et cela explique, bien sûr...

— Précisément. Cela explique pourquoi les
gardes n'étaient pas à la porte. Cela n'était pas
nécessaire. La nuit, le château ne craint pas les
intrus, quels qu'ils soient. *Parce qu'il n'existe
plus.* A moins d'avoir Donnaccord.

Yann frôla de la main le manche de son
épée ; comme pour lui dire merci.

— Alors... continue... tu t'es cachée dans la
salle de garde... et puis ?

— Eh bien, quelqu'un est entré, alors je me
suis faufilée par l'autre porte et je me suis
retrouvée dans une sorte de réserve. J'ai at-
tendu le moment où je pensais qu'ils devaient
tous dormir : bien après minuit. A ce moment-
là je suis sortie en catimini et j'ai fait le tour du
château. En fait, ce n'était pas vrai que tout le
monde dormait.

— Le Nécromancien ?

— En personne, répondit Étincelle avec un
frisson. Il était en haut de son donjon (je
voyais ses lumières depuis la cour, en bas), et
il marmonnait tant et plus ; il conjurait encore
un surcroît d'obscurité.

— Bon, enfin, je n'ai pas monté son escalier,
à lui. Je te l'ai dit, j'ai fait le tour du château.
Et à la fin je suis arrivée à un petit escalier qui
descendait. Il y avait un garde, tu l'as vu, mais
je suis allée directement vers lui, en tournant
mon pendentif dans tous les sens...

— Et tu lui as dit : « Endors-toi » ?

Étincelle eut un petit rire :

— Je sais bien que ça a l'air ridicule. Mais toi, tu es au courant ; c'est comme pour les soldats de Malines, tu lui dis : « Tu vas obéir à mes ordres ! » Et il te répond : « Je vais obéir à vos ordres. » Et toi, tu lui dis : « Tu vas dormir jusqu'à la fin du petit déjeuner », et lui répond : « Je vais dormir jusqu'à la fin du petit déjeuner ». Et toi tu lui dis : « Endors-toi ! » Et lui il répond... (elle rit encore)... par un ronflement sonore, c'est tout.

Elle s'arrêta sur la rive du lac, fit un pas de danse ; se mit à glapir quand elle sentit que la berge s'affaissait ; fit de grands gestes des bras.

Étincelle s'étala par terre, se raccrocha à l'herbe pour se retenir, glissa encore, jusqu'à ce que finalement elle s'arrête sur la plage.

La plage ? Mais voyons, c'est absurde. Il n'y a pas de plage à Mireciel. C'est un lac, qui est à huit cents kilomètres à l'intérieur des terres, à une hauteur de mille mètres vers les nuages. Sur ses rives il ne pousse pas d'algues, mais des roseaux, des iris jaunes, des nénuphars. Et les vagues qui viennent se briser sur la côte ? Et qu'est-ce que j'ai agrippé en me raccrochant au rivage, pour me retenir ?

Une algue ; un brin d'algue, qui m'éclate entre les doigts quand j'appuie dessus. Bonté solaire ! Où sommes-nous maintenant ?

— Écoute ! dit Étincelle d'un ton plaintif, en se mettant à genoux sur le sable humide. Sa jupe lui collait aux jambes ; elle était complète-

ment trempée : — Ça n'a aucun sens ! Yann !
Est-ce que c'est vraiment une *algue ?*

Yann la prit dans la main, puis la rejeta :

— Ce n'est pas possible ! Sois raisonnable,
Étincelle. Écoute, on n'a qu'à avancer. Il faut
mettre le plus de distance possible entre le
château et nous. L'aube ne peut pas être bien
loin. Il faut retrouver les autres et décider de
ce qu'on va faire.

Étincelle hocha la tête d'un air dubitatif. Sa
gaieté avait disparu, maintenant. Ils marchaient en silence. La rive du lac tournait à
droite puis continuait, encore et toujours, de
tourner à droite.

— Yann, regarde ! lui dit-elle soudain. Des-
cends sur cette plage, là ! et regarde : est-ce
que ce sont des algues, oui ou non ? Et des
coquillages ; et des galets polis par la mer. Et
regarde l'eau : elle descend ; c'est la marée.
Oh ! Yann, qu'est-ce qui est arrivé à ce lac ?

« Et cette rive qui tourne, en plus. Après la
rivière elle repartait à gauche, vers le col montagneux, vers Valbâillon. Mais elle n'est *pas*
repartie vers la gauche. Elle continue à aller du
mauvais côté. Oh ! Yann, qu'est-ce qui se
passe ? Où est-ce qu'on est, maintenant ?

Yann hocha la tête. Bon, il allait lui faire
plaisir. Il descendit de son talus et se mit à se
promener sur le sable ; il continuait à hocher la
tête. Allons ! Tout était parfaitement normal.

Mais l'était-ce bien ? Bonté solaire ! Étincelle
avait raison ! Il y avait des algues accrochées
aux rochers, sur lesquelles poussaient des

moules et des bernicles; et des morceaux de coquillages serpentaient en une ligne sinueuse, à l'endroit le plus élevé qu'avait atteint la marée haute. Il regarda l'eau. Elle gémissait en reculant vers la brume; elle clapotait et ondulait. Au bord de l'eau il y avait une méduse visqueuse et transparente, qui ressemblait à une motte de vase.

Ma foi, il avait été élevé à Batellande : il savait reconnaître la mer. Il se retourna vers Étincelle qui l'attendait au bord de l'eau et serrait fort son pendentif.

— Je crois, lui dit-il lentement, que tu devrais chasser tout ce brouillard.

— Je croyais, dit Étincelle d'un ton amer, quand on a traversé la rivière, j'ai eu l'impression... qu'elle coulait dans le mauvais sens.

Ils se regardèrent en silence. Étincelle poussa un soupir. Elle frotta sa bague, et la fourbit, lentement, soigneusement.

— Non. Elle s'arrêta. Mettons-nous là, derrière ce buisson.

Ils s'accroupirent, et Étincelle passa ses doigts fins sur le cristal de son bijou. Les nuages se levèrent paresseusement, contre leur gré, comme s'ils en avaient assez d'être l'objet des ordres contradictoires des sorciers et des magiciennes; ils se mirent à l'écart en soupirant, se mirent debout, et s'en allèrent planer très haut dans le ciel de l'aube. Une lumière grise se répandit graduellement. La terre et l'eau, autour d'eux, s'élargissaient de plus en plus, comme un cercle qui se dilate. L'horizon s'éclaircit. Le paysage tout entier s'étendait devant eux, dans le gris nébuleux qui annonce l'aurore.

— Bonté solaire! s'écrièrent-ils tous les deux.

Ils étaient sur les berges du lac. Seulement, ce n'était plus un lac : il n'était plus entouré de montagnes de tous les côtés. A l'est et au sud, il s'étendait à l'infini vers l'horizon lointain en une nappe d'eau gris perle : la mer! Derrière eux, les montagnes avaient été remplacées par des dunes, des buissons, des touffes d'ajoncs, et quelques collines. Même à gauche, à l'endroit où auparavant se dressaient les parois imposantes, bleu-violet, d'Éterneige, jusque dans les nuages, il n'y avait plus maintenant de montagne; il ne restait plus qu'une minuscule colline de moins de soixante mètres, couronnée par un bouquet d'arbres.

Il n'y avait qu'une chose qui restait inchangée : le château du Nécromancien. Il se dressait toujours, à un kilomètre et demi d'eux, sur la gauche, dans un silence lourd de menaces, et se découpait en noir sur le fond de la minuscule colline, qui était tout ce qui restait d'Éterneige.

— Dis donc, Yann, balbutia Étincelle. Qu'est-ce qui est arrivé aux montagnes?

— Et au lac? Où pouvons-nous bien être?

— Où donc dans ce monde...? Ou bien dans un autre?

Ils frissonnaient de peur.

— Et où va-t-on maintenant? Le château est encore là. Ils vont nous rattraper d'une minute à l'autre.

— Oui, répondit Étincelle amèrement. C'est la seule chose qui n'ait pas changé.

— Ça ne m'étonne pas, fit Yann, dégoûté.

Ils contemplaient mélancoliquement la forteresse noire, sinistre, à un kilomètre et demi de là. Ils étaient perdus maintenant. Bel et bien perdus.

— Écoute, dit Étincelle. Voilà l'aube. Il faut partir vite!

Ils s'étaient retournés pour se mettre à courir. Mais les rayons du soleil, qui venaient en flots par-dessus le bord du monde, effleuraient les nuages et les vagues de leur lumière pourpre et rose cramoisi. Un unique rayon de lumière jaune primevère jaillit de l'extrémité de l'horizon et, tel un doigt accusateur, vint frapper les noirs murs de Minuit. Ceux-ci se mirent pour un instant à briller comme de l'or.

— Étincelle, non! (Yann la retenait par le bras.) Ne pars pas tout de suite!

Comme la lumière dorée tombait sur le mur du château, le château lui-même sembla frémir, puis devenir transparent. Il vacilla dans les rayons du soleil. Il se dissipa comme le brouillard.

Le paysage était vide. Ils se tenaient au bord d'une plage isolée, au commencement du monde. Ni oiseaux ni êtres vivants : rien que les rochers et les dunes. Et aussi le bruit des vagues qui gémissaient sur la plage.

Le château du Nécromancien s'était évanoui.

CHAPITRE XXIV

LA BATAILLE DE MINUIT

Yann, Étincelle et les deux archers étaient maintenant partis depuis presque deux heures, et la nuit était tombée. Clairbec commençait à s'inquiéter.

— Hardiloque, dit-il, ils devraient être de retour à l'heure qu'il est.

— Je vais envoyer une équipe à leur recherche, répondit instantanément Hardiloque, en se relevant pour aller appeler les autres.

— C'est ça, et j'aurais sans doute intérêt à y aller, moi aussi, dit Clairbec, songeur, en contemplant avec convoitise son dîner, juste à point, qui l'attendait sur le feu de tourbe rougeoyant. Il se frotta tristement la panse :
— Demandez à ce lapin de rester coi dans son ragoût jusqu'à mon retour.

— Nous le lui demanderons poliment, répondit Arbalète.

Ils eurent du mal à retrouver le chemin qui menait au col, dans toute cette brume et cette obscurité. Mais, au moment où ils parvenaient au sommet, il y eut une déchirure dans les nuages, et la pleine lune, brillante, les éclaira (car, sans qu'ils le sachent, Étincelle, qui se trouvait loin au-dessous d'eux, aux portes de Minuit, venait de frotter sa bague).

La colline baignait dans le clair de lune. Mais où étaient donc leurs amis? On ne les apercevait nulle part. La montagne était aussi chauve que le crâne d'un sorcier, il n'y avait pas l'ombre d'un abri. Et la lune, qui brillait d'un vif éclat, ne laissait pas une seule parcelle de la prairie dans l'ombre. Clairbec contempla avec intérêt les deux pierres difformes accroupies au bord du chemin. Il alla vers l'une d'elles et la toucha, puis eut un mouvement de recul : il avait des picotements dans les doigts.

— J'ai peur, murmura-t-il à Hardiloque.

— Vous avez de la chance, si c'est la première fois que vous avez peur, répondit Hardiloque. Pour moi, tout le long du chemin depuis Milleroches... Il sourit.

Et à ce moment-là ils entendirent la voix d'Étincelle. Elle leur parlait dans l'herbe, en langue ancienne.

— Clairbec, *sekwe taiam.*

Ils regardèrent un peu partout sur le sol ; ils s'attendaient à la voir cachée quelque part, peut-être dans un massif de bruyères. Mais non, il n'y avait personne.

La voix reprit :

— Clairbec, regarde par terre.

— Ça vient de là-bas, dit le sorcier d'un ton pressant. Ça doit être un écho temporel.

— Un écho temporel ?

— Un message pour moi, qu'elle a laissé ici, attaché à une pierre. Mais où ? Ah oui, ça doit être ça.

Et il ramassa le message d'Étincelle à l'endroit où elle l'avait laissé, moins de deux heures auparavant, sous une touffe de bruyère.

— Passe-moi une lanterne, s'il te plaît !

Clairbec lut le message à voix haute, en tournant la pierre vers la lumière :

— *Yann kaptos Malpreisa. Acam Donnavauvi Methyanoktin gwami...* Yann est prisonnier. Étincelle et Donnaccord sont partis pour... pour Minuit à sa rescousse.

— Et nos deux archers ?

Clairbec montra du doigt les deux rochers, sans rien dire.

— Sombrenuit ! murmura Hardiloque après un silence. Je crois que nous sommes tout près d'échouer.

— Ou tout près de réussir, lui répondit le sorcier. Le succès et l'échec sont des frères jumeaux. Comment savoir si la lame est coupante tant qu'on ne l'a pas expérimentée soi-même avec le pouce ?

Hardiloque baissa la tête en entendant ce vieux dicton.

— Bien, dit-il. Alors, vous nous conseillez... ?

— Écoute, répondit le sorcier, pensif. As-tu remarqué, tout à l'heure, au sommet du col ? On ne voit pas le château de Minuit ; ils ne peuvent donc pas nous apercevoir non plus, de là-bas. Et l'arbre est là, exactement à l'endroit où je l'avais prévu, au bord du lac ; à deux kilomètres d'ici.

— Oui. Vous trouvez qu'on devrait y descendre tout de suite ?

— Et retrouver la Couronne. C'est le seul moyen ; le seul moyen de les sauver tous les deux. Et, peut-être, de sauver en même temps nos deux camarades, ajouta-t-il en montrant encore une fois les pierres.

« *Je ne crois pas,* se dit-il en lui-même, *que je puisse faire marcher la Couronne.* En effet, je n'ai pas fait le voyage. Mais il n'y a rien d'autre à faire ; je vais être obligé d'essayer. Mais il y a pire : *est-ce que la Couronne se trouve bien à cet endroit ?* » Mais il n'exprima pas ces pensées.

Ils mirent une demi-heure à retourner à leur camp ; et encore une heure et demie à arriver au pied du col et à traverser la rivière. Devant eux, la minuscule rivière, ainsi que le très vieux sorbier, qui tenait la lune serrée dans ses doigts noueux, déformés par l'arthrite.

— Minuit, dit Clairbec. Pas l'heure, le lieu. Mais si, c'est aussi l'heure qu'il est à présent.

162

Creusez tant que vous pouvez! Il faut nous dépêcher.

Ils se mirent à creuser autour des racines du sorbier avec une précipitation fiévreuse, à la pelle et à la pioche. Et, au bout d'un moment, n'ayant toujours rien trouvé d'autre que des pierres et un enchevêtrement de racines, ils s'y attaquèrent avec la pointe de la lance et la lame de l'épée. Rien. L'arbre se trouva déraciné et retourné sur le dos, de sorte que ses racines imploraient la lune. Toujours rien.

— Creusez, mais creusez donc! dit Clairbec en jurant tout bas. Comme il contemplait le sorbier déraciné, il se signa et marmonna un sortilège contre le mauvais sort. Ça porte malheur, se murmurait-il à lui-même. Tuer un sorbier...

Les heures passaient. On avait creusé la terre sur plusieurs mètres tout autour de l'arbre, jusqu'à la mince couche de roches au-dessous. Toujours rien. Pierres et cailloux.

Et l'aube n'allait maintenant plus tarder à arriver.

Les soldats, l'air sinistre, s'appuyaient en silence sur leur lance. Comme s'ils avaient parlé à haute voix, le sorcier hocha la tête en signe d'accord. Il avait lui aussi le visage gris et l'air désespéré.

— Oui, vous avez raison, leur dit-il. Il est maintenant trop tard. Si la Couronne s'est jamais trouvée ici... Je n'ai qu'une seule chose à vous dire : tout cela est de ma faute. J'accepte la responsabilité de cet échec. C'est moi qui vous ai amenés ici.

« Mais maintenant il faut partir, et vite. L'aube approche, et il faut arriver en haut de cette colline avant que les soldats de Malempire ne soient debout.

Mais il était déjà trop tard, en fait. Ils n'étaient encore qu'à mi-chemin de la rivière quand arrivèrent de l'est les premiers rayons obliques, gris, du soleil levant. Clairbec se retourna pour regarder l'endroit où s'était trouvé le sorbier déraciné ; il poussa un cri de stupéfaction et d'horreur.

Le château ! Le château du Nécromancien ! Il était là, à l'endroit où, auparavant, il y avait le sorbier ! La porte en était un sombre gouffre qui déversait des flots de soldats.

— Ne bougez pas ! s'écria Clairbec. Si vous tenez à la vie, ne bougez pas ! L'obscurité s'approche !

En fait, il faut dire que les forces des deux côtés n'étaient pas si inégales que ça. L'armée du sorcier comptait vingt-six soldats, y compris les six lanciers qu'Étincelle avait amenés de Pontruisselle avec elle. Mais la garnison du Nécromancien ne comprenait que trois douzaines de soldats, car sa puissance reposait, non sur la force des armes, mais sur la sorcellerie.

C'était précisément là qu'était le problème, se disait Clairbec. Je connais bien sûr quelques tours. Mais nous allons maintenant livrer bataille sur les propres terres de Malempire, et il est au summum de sa force. De plus, la magie est une chose tellement insaisissable qu'il est difficile d'y riposter. On ne sait jamais exactement quels tours l'autre sorcier va vous jouer. Et, le temps de les reconnaître, il est souvent déjà trop tard.

Et le voilà maintenant : cette vieille araignée ! Avec sa cape noire qui flotte au vent, et le masque de l'aigle refermé sur son visage, on dirait un de ses propres milans noirs. Assis sur son cheval derrière ses soldats immobiles. Et voilà qu'il levait son bâton de sorcier en l'air et prononçait en criant les paroles d'un sortilège.

Clairbec tendait l'oreille pour l'entendre.

— Ah bon ! Je comprends son manège ! Il se retourna brusquement vers ses soldats et leur cria : — Les lanternes ! Allumez-les ! Rallumez les lanternes, vite, vite !

Les soldats tripotaient maladroitement leurs lanternes (celles qu'ils avaient utilisées pendant la nuit pour creuser), quand le soleil s'éleva au-dessus des montagnes, à l'est. L'herbe se mit à luire d'un vif éclat teinté de doré. Et aux pieds de chaque soldat, derrière lui, surgit sa propre ombre élancée, d'un noir de jais.

Les incantations du Nécromancien cessèrent.

Et alors, les ombres, qui étaient à plat sur l'herbe, se mirent à onduler, puis à se redresser. Ce faisant, elles ressemblaient à de maigres arbres noirs ; dans la lumière oblique du soleil matinal elles étaient immenses et dressaient leurs silhouettes imposantes au-dessus de chacun des soldats de la petite armée de Clairbec. Et les mains de ces ombres se tendirent et vinrent saisir chaque homme à la gorge.

Mais les lanternes étaient maintenant allumées et dirigées vers le cœur de chacune de ces ombres. Elles se mirent à trembler et à vaciller, comme une tache de lumière brumeuse transperçait leur cœur sombre. Et Clairbec énonça alors d'une voix forte les paroles d'un contre-sortilège, en levant bien haut son propre bâton. Au bout de ce dernier apparut un cercle de lumière, de plus en plus grand, qui brillait sur l'herbe autour d'eux comme le soleil lui-même.

Les ombres se trouvèrent effacées par l'éclat aveuglant qui provenait du bâton de Clairbec. Et les propres ombres des soldats réapparurent sur le sol derrière eux; elles étaient plates et obéissantes, comme devraient l'être toutes les ombres sages.

Fin du premier round.

Le Nécromancien, à quatre cents mètres de là, hurlait de fureur en constatant l'échec de son sortilège. Il donna à ses archers l'ordre de tirer.

Les douze archers de Malempire firent tomber une pluie de flèches. Clairbec, vous le savez, ne disposait plus maintenant que de deux archers. C'étaient certes les meilleurs archers de tout le royaume d'Ombrasie, mais ils n'étaient tout de même pas de taille à lutter contre des adversaires en si grand nombre. Et Clairbec projeta bien des étincelles avec son bâton, de sorte que six soldats de Minuit tombèrent, soit transpercés en plein cœur, soit brûlés vifs ; mais un nombre égal de ses propres soldats s'affaissèrent eux aussi et s'effondrèrent sur la douce herbe verte. Clairbec se mordait les lèvres.

— Les chances sont trop bien partagées, se dit-il. Ça ne va pas : pas de chance ! Allons, il nous faut un petit sortilège : *Donum dona, veram lucem...*

Un mur de verre, en effet, voilà qui serait idéal. Comme il levait les bras vers le ciel, il y eut encore deux soldats de la troupe du Nécromancien qui tombèrent morts. Et les soldats de Malempire tirèrent encore une volée de flèches. Mais l'air était déjà en train de se métamorphoser et se changeait en verre liquide. Neuf flèches ralentirent, ne pouvant plus avancer dans l'air qui épaississait ; et elles tombèrent par terre sans faire de mal à personne. Une dixième flèche resta en l'air, frémissante : elle s'était trouvée prise dans le mur de verre invisible alors qu'il était en train de se solidifier et de devenir une dure barrière.

Et Clairbec avait maintenant l'avantage. Les arcs de Grandif étaient en effet assez puissants pour tirer par-dessus le mur invisible du sorcier, alors que les flèches lancées par les soldats de Malempire ne faisaient que rebondir dessus sans faire de dégâts, ou retombaient avant d'avoir atteint le sommet.

Fin du deuxième round.

Le Nécromancien ordonna d'un ton rageur à ses soldats de reculer pour se mettre hors de portée des flèches sans attendre que d'autres, parmi eux, soient tués. Il s'avança alors tout seul jusqu'au mur invisible; il arracha un de ses gants noirs, et appuya la paume contre le verre-de-sorcier. Il commença à psalmodier des incantations en langue de sorcellerie.

Clairbec, qui avait blêmi en entendant ces paroles, leva son propre bâton en l'air et se mit lui aussi à psalmodier des incantations. Il essayait maintenant désespérément d'enlever ce verre, qu'il avait lui-même fait naître magiquement, l'instant d'avant. En premier lieu en effet le Nécromancien, assis sur son cheval à l'ombre du mur, était évidemment hors d'atteinte des flèches des archers de Grandif. Alors que s'il arrivait à faire fondre le mur avant qu'il soit trop tard... Car Malempire était en train de lancer un sortilège qui allait agrandir ce mur (que Clairbec lui-même avait construit avec son verre-de-sorcier), et de lui faire faire le tour de tous les compagnons, de les enfermer dans une prison invisible.

Mais la situation de Clairbec était maintenant désespérée, et il s'en rendait compte. Il avait maintenant deux sortilèges à combattre, le sien propre en plus de celui du Nécromancien. Et à vrai dire sa magie ne marchait pas. Il l'*entendait,* qu'elle ne marchait pas. Il prononçait les paroles, les hurlait à pleins poumons, mais cela ne servait à rien : elles sortaient de sa bouche en silence, comme si elles étaient

balayées sur place par quelque violente tempête. Si ce n'est que l'air était immobile, et que
c'était une tempête calme et silencieuse : le
vent n'était pas causé par le mouvement de
l'air, mais par l'esprit malfaisant du Nécromancien.

Il ne leur restait qu'une seule chose à faire :
s'enfuir avant que le cercle de verre ne se
referme autour d'eux. Clairbec en donna l'ordre. Mais Hardiloque, les mains tendues pour
éprouver l'air derrière eux, les sentit heurter
une paroi de verre solide.

Trop tard. Ils se trouvaient encerclés par la
barrière magique érigée par Clairbec lui-même,
pris au piège : à la merci du Nécromancien.

Malempire poussa un cri de triomphe.

— Rendez-vous ! hurla-t-il. Vous voilà au
bout de votre voyage. Jetez vos armes par
terre. A genoux, suppliez-moi de vous faire
grâce !

CHAPITRE XXV

LA COURONNE

— Mais il fait jour, maintenant! s'exclama
Étincelle. Comment se fait-il que le château du
Nécromancien ne soit plus là?

— Je ne sais pas, lui répondit Yann entre ses
dents. Mais, regarde! A l'endroit exact où il se
trouvait... l'arbre!

C'était vrai. A l'endroit où, il y a quelques
instants, le château du Nécromancien projetait
son ombre noire sur l'herbe, se dressait maintenant le vieux sorbier, dont les baies rouges
brillaient dans le soleil matinal.

— Si on allait voir? souffla Yann. On pourrait creuser dans les racines pour voir si la
Couronne...

— Attends, répondit Étincelle. Il faut
d'abord réfléchir un peu. Ce château qui va et
vient sans cesse, je n'aime pas ça. Et s'il réap-
paraissait en plein pendant qu'on creuse?

— Tu as raison, mais il n'y a apparemment
ni rime ni raison là-dedans.

Étincelle secoua la tête :

— Si. En sorcellerie il y a *toujours* une rime,
et *toujours* une raison. Il doit y avoir un sys-
tème.

Ils se regardèrent, en fronçant un peu les sourcils. Étincelle se mordillait la lèvre inférieure. Yann avait enlevé son casque et se grattait la tête d'un air songeur.

— Où sommes-nous, de toute façon ? lui demanda-t-il. Tu sais ce que c'est que cet endroit ?

Étincelle eut un léger frisson.

— Je n'en ai pas la moindre idée, répondit-elle. Mais ça donne l'impression de... oh, je ne sais pas, moi, un lieu d'un âge infini, en quelque sorte. Tu as remarqué ce silence ? Aucun oiseau ; et est-ce qu'il y a des animaux ?

— Escaladons ces dunes, allons regarder le point de vue.

Ils examinèrent le paysage qui s'étendait devant eux. Pas un seul bruit ne venait troubler le silence de l'aube ; à part les bourdonnements et les vrombissements indistincts des insectes qui s'activaient parmi les fleurs sauvages. Il n'y avait aucun signe d'habitation nulle part. A l'ouest, il n'y avait qu'une forêt sans chemins, et à l'est que la mer gris perle. Ils se trouvaient dans un monde absolument vide.

— Ma foi, il n'y a qu'une chose de sûre, dit lentement Étincelle. C'est qu'on est ailleurs, pas en Ombrasie. J'ai même l'impression qu'on n'est plus dans la même époque.

— Mais, écoute, lui dit soudain Yann. Tu ne te souviens pas de ce que Trembleterre nous a dit ? Quand on parlait de la Couronne ? Elle a dit... comment, déjà ? Elle a dit que le château de Minuit était enraciné dans un monde qui n'est pas le nôtre, mais qui est situé derrière le nôtre, et qu'il y avait ses fondations.

— Tu as raison. Alors c'est dans ce monde-là qu'on se trouve en ce moment !

— Oui, mais le château lui-même n'y est pas !

Ils se turent de nouveau. Et puis, à la manière insaisissable d'un mot qu'on ne retrouve pas, mais qu'on a sur le bout de la langue, une idée s'insinua furtivement dans l'esprit de Yann. Il contemplait le sorbier dans le lointain en fronçant les sourcils. Qu'est-ce que c'est ? Oui, qu'est-ce que ça peut bien être ?

Tout d'un coup, il poussa un cri.

— Qu'est-cc qui se passe ? lui demanda Étincelle, qui avait sursauté.

C'était au tour de Yann de danser maintenant. Il sautillait au bord de la dune, tout excité.

— Mais est-ce que c'est bien... ? Écoute, Étincelle, je crois que j'ai compris ; mais dis-moi ce que tu en penses. Regarde cet arbre. Voilà comment ça se passe, à mon avis : quand le château n'est pas là, l'arbre, lui, y est.

— D'accord.

— Et par conséquent le château apparaît la nuit et l'arbre, le jour ; dans ce monde-ci !

— Oh là là ! dit Étincelle doucement, comme une lueur de compréhension gagnait son regard. Alors, dans notre monde, celui que nous avons quitté, l'arbre existe la nuit et le château le jour.

— Précisément. Et la seule façon de passer d'un monde à l'autre, c'est de traverser le château. C'est ce que nous avons fait. J'y suis entré hier soir avant le coucher du soleil. Nous l'avons quitté juste avant l'aube, alors que le soleil ne s'était pas encore levé. C'est ainsi que nous sommes entrés dans ce monde-ci, au-delà du nôtre, comme l'avait dit le dragon.

— Oui, derrière l'au-delà, au diable vert! Mais l'épée, continuait Étincelle, excitée. Donnaccord; c'est elle le moyen d'entrer dans le château quand... quand il n'y a pas de château!

— Oui, c'est forcément vrai. En tout cas, dit Yann, ça vaut le coup d'essayer.

— Allons-y.

Ils retraversèrent le ruisseau (lequel dans ce monde-ci coulait vers le sud et la mer, et non vers le nord en sortant du lac) et s'approchèrent du sorbier. Yann dégaina son épée. Comme ils montaient la pente douce qui menait à l'arbre, et que leurs pieds s'enfonçaient dans l'herbe tendre, Donnaccord se mit à briller, d'une faible lueur tout d'abord, puis d'un vif éclat rougeoyant. A vingt mètres du sorbier elle se mit à frémir dans la main de Yann; puis elle se souleva et se mit à indiquer une direction. Et dans la lumière rose du soleil la porte sombre, sinistre, de Minuit surgit de l'air ambiant, sous leurs yeux. Ils virent d'abord une brume transparente, une image floue, qui cependant se solidifiait rapidement, et qui finit par former une masse tangible devant eux, toute de chêne solide et fort, avec son arche de pierre tout autour. Mais, encore une fois, comme pour Étincelle la veille au soir, il n'y avait pas de château au-dessus d'elle, ni de château derrière elle; il n'y avait rien qu'un champ vide où bruissait l'herbe.

— Non, non, lui cria Étincelle, ne l'ouvre pas encore. On a quelque chose à faire, avant.

— Oui, dit Yann en rengainant Donnaccord. L'arbre.

— J'en suis certaine, dit Étincelle en examinant les branches et les baies qu'elles portaient, ou presque certaine. Il est exactement pareil. C'est le même arbre, qui pousse dans les deux mondes.

Plutôt excités, ils choisirent à la hâte des cailloux pointus et se mirent à creuser dans les racines de l'arbre.

— Il y a quelque chose de dur ici, dit soudain Yann. C'est du métal. C'est ça! Regarde! Ils enlevèrent à la main, doucement, un peu de terre. Yann frotta le bord aigu qui dépassait du sol et vit... un éclair de métal jaune!

Ils déblayèrent soigneusement la terre tout autour. L'objet arrivait petit à petit à la surface; il était couvert de terre, mais brillait par endroits d'un reflet doré, là où les saletés en étaient tombées. Yann enfonça la main par-dessous, en creusant un passage avec ses doigts. Il tira: l'objet se détacha.

Et voilà qu'il avait dans les mains une couronne; elle était sale et maculée de terre mais brillait à la lumière du soleil, de l'éclat de son or tendre et de ses pierres précieuses, dures et étincelantes. C'était un simple cercle de métal jaune auquel on avait donné la forme d'un mur de château fort : il y avait tout autour des tourelles en or et une rivière de saphirs bleus qui formaient les douves. Dans ce cercle partaient trois arches en or (l'une d'elles s'était trouvée un peu tordue pendant son séjour sous terre), qui se rejoignaient en son centre. Et à cet endroit se dressait une petite tour dorée, merveilleusement bien construite : chaque pierre de ses murs en était gravée avec un soin méticuleux, et à son sommet les créneaux enchâssaient un diamant brillant. C'était la Couronne de l'Unité !

Sans faire de manières, ils laissèrent tomber cette couronne dans l'herbe et se mirent à chanter et à danser autour du sorbier. Ils se serraient fort l'un contre l'autre.

— Yann !

— Étincelle !

— C'est la Couronne ! C'est forcément la Couronne ! On l'a retrouvée, dis donc ! On l'a retrouvée !

Puis ils redevinrent soudain sérieux et se regardèrent gravement.

— Il faut rentrer, dit Yann.

— Oui, par la porte. Ou bien est-ce qu'il vaut mieux attendre la tombée de la nuit, à ton avis ?

— Je ne sais pas. Ils seront certainement à nos trousses à ce moment-là, c'est sûr.

— Ils doivent déjà être à nos trousses.

176

— Oui, mais ils ne peuvent visiblement pas entrer dans ce monde-ci de jour. Et ils ne s'attendent certainement pas non plus à ce que nous puissions entrer dans le leur ! Tu sais, c'est certainement pour ça que le Nécromancien avait tellement envie de mettre la main sur Donnaccord. Il s'est mis dans une colère noire quand je lui ai dit que je l'avais abandonnée en chemin. C'est sans doute la seule clef de l'autre monde, celui qui n'est jamais là, à n'importe quel moment. Tu vois ce que je veux dire ?

— Je pense que tu as sans doute raison. Mais je ne comprends pas pourquoi nous devons rentrer au pas de charge directement dans ce monde où il est, lui.

— Eh bien, dit Yann pensivement, j'imagine que dès que la nuit va tomber, et que le château va réapparaître dans ce monde-ci...

— En Au-Delà !

— C'est ça. Eh bien, dès le moment où ça va se passer, les portes vont s'ouvrir, et ils partiront à notre poursuite.

— Tu as sans doute raison.

— Alors que si on ouvre la porte et qu'on entre *maintenant,* à ce moment-là ils ne s'attendront pas à nous voir. Et ton pendentif ? Il devrait faire l'affaire, non ?

— Oh oui, je crois. Alors on y va, on y entre résolument et on en ressort aussitôt, toujours résolument ?

— Dans le brouillard. Si du moins ta bague marche toujours ?

— A vrai dire, répondit Étincelle, triste, je n'en suis pas sûre. Il y a eu un moment où elle ne fonctionnait plus. Je crois que le Nécromancien a un effet sur elle.

— Tu peux toujours essayer, de toute façon : souffle dessus, on verra bien ce qui se passe.

Il ne se passa rien. Étincelle lança à Yann un regard malheureux.

— C'est lui qui ne veut pas qu'elle fonctionne. Elle ne répond pas.

— Nom d'un chien ! (Yann se gratta la tête.) Qu'est-ce qu'on va faire ?

— Écoute, lui répondit soudain Étincelle. Ce qu'on peut être bêtes ! On a la solution sous le nez : la Couronne !

— Oui, répondit Yann lentement. Le sortilège de la couronne ; prononce-le !

Étincelle s'accroupit dans l'herbe, et sa jupe formait une verte corolle autour d'elle. Elle tendit les mains vers la Couronne avec un geste prudent et la toucha précautionneusement du bout des doigts, comme si c'était un être vivant, une souris qui risquait de filer à toute allure vers les grands roseaux, ou encore un chat qui fait le gros dos. Ses doigts y restèrent posés, immobiles, quelques instants, puis elle poussa un léger soupir et ses mains reculèrent de cinq centimètres, comme si quelque douce force, à l'intérieur même de la Couronne, les avait gentiment repoussées.

Toujours accroupie, elle se remit d'aplomb sur ses talons, et regarda Yann à travers la

sombre auréole de ses cheveux. Elle secouait la tête.

— Qu'est-ce qui se passe? lui demanda Yann. Ça ne veut pas…?

— Je ne sais pas, lui répondit doucement Étincelle, mais en tout cas ce n'est pas pour moi. On m'a comme repoussée, comme refusée poliment. C'est peut-être parce que je n'ai pas fait le voyage… en tout cas pas tout le voyage que tu as fait. Écoute, tu n'as qu'à essayer, toi. Tu sais les paroles. Tu te souviens, on les a si souvent répétées pendant notre chemin.

— Oh, d'accord, si tu veux, répondit Yann, incertain.

Il s'agenouilla à côté d'elle sur l'herbe humide et tendit les mains vers la Couronne. Elle était chaude au toucher, aussi chaude qu'un petit animal qui dort dans l'herbe, enroulé sur lui-même. Et ses doutes disparurent soudain. Oui, la Couronne était bien amicale. Il appuya les mains sur l'or vivant et sentit ses yeux se fermer. Des images se mirent à défiler devant la nuit de ses paupières : sa fuite de Mirivière, le château du sorcier, la grotte dans la forêt de Toqueval où il s'était réfugié, Maldonne penchée sur le feu qui caressait son anneau, le géant qui surgissait du brouillard comme un arbre vert… Oui, il avait bien fait le voyage. Mais ici, avant la fin de ce voyage, il trouvait un moment de silence et de paix, comme des chaudes ténèbres, jaillies de la Couronne, lui passaient dans les doigts. La mer, le rythme des vagues qui murmuraient doucement sur la plage, derrière eux. Son esprit et la mer : les rassembler, les mettre en accord. Chut. Il commença à prononcer les paroles avec lenteur, avec insistance, dans le silence liquide de l'extase. C'étaient des mots d'une langue étrangère qu'il ne comprenait pas, sauf que d'une façon ou d'une autre il comprenait ces mots-ci :

> *Ecc' adamaś qui*
> *Medius terror*
> *Media terra...*

Il parlait d'une voix basse et uniforme, sans mettre le ton. Étincelle, qui retenait son souffle, vit la Couronne commencer à émettre sa propre lumière. Les mains de Yann brillaient elles aussi; elles étaient d'un rose transparent et lumineux, comme quand on met les doigts devant le feu.

> *... Vivat qui videt*
> *Vitam qui jacit*
> *Urbem ex arce,*
> *Arma ex orbe.*

Yann avait terminé. Long silence. Puis il ouvrit les yeux.

— Oui! souffla-t-il, l'œil rivé sur la Couronne chatoyante.

— Oui, murmura Étincelle. Yann, ça doit aller. Tu vois : la Couronne est vivante.

— Je sais; je l'ai sentie sous la main...

181

Ils échangèrent un sourire radieux. Il y eut un moment de calme, de réussite, avec le soleil qui leur réchauffait le dos et la mer qui leur murmurait son approbation.

Mais ça ne dura qu'un moment, si long qu'il ait été. Ils étaient encore loin de la victoire, le temps pressait, et ils se trouvaient toujours emprisonnés de l'autre côté du château du Nécromancien.

— Alors…

— Alors, oui, il faut se dépêcher. Rentrons par la porte.

Ils retournèrent vers l'endroit, dans l'herbe, où Donnaccord avait fait surgir la porte de l'obscurité de Minuit. Mais, ils ne s'en étaient pas encore bien rendu compte, ils arrivaient bien entendu cette fois-ci par l'autre côté; ils venaient du sorbier, donc du centre du château. Donnaccord se mit à briller et à pointer. La porte surgit devant eux. Ils s'arrêtèrent, épouvantés.

Étincelle agrippa Yann par le bras :

— Regarde! Elle est ouverte! Et regarde ce qu'il y a derrière!

Et c'est vrai qu'elle était ouverte, cette fois. La porte était entrebâillée sur l'herbe. Et derrière, on voyait, dans l'encadrement du grand portail de pierre, un morceau de leur propre monde, en forme d'arche. Drôle de spectacle! En effet, autour de l'arche de pierre grise et au-dessus d'elle, le monde vide de l'Au-Delà s'étendait dans le lointain à l'infini, avec sa mer scintillante, ses dunes et sa forêt dense, sans chemins. Mais à l'intérieur de l'arche apparaissait leur propre monde, tableau aux vives couleurs avec pour cadre un portail. Un rempart de montagnes, pourpre, bordait le lac bleu foncé de Mireciel ; les fougères faisaient des taches vert-jaune et les éboulis des entailles grises ; et on voyait aussi la petite rivière étincelante, qui s'était remise à couler de gauche à droite. Il y eut quelques toutes petites rides noires sur le lac, et l'eau fut agitée par les soupirs de la brise, puis retrouva son calme.

Mais c'était la scène qui se déroulait juste en dessous, sur la prairie, qui avait éveillé leurs craintes. Cela se passait sur la prairie qui s'étendait entre le château et la rivière. Trente soldats en cercle en entouraient vingt autres. Il y en avait encore douze qui gisaient par terre, immobiles. Leurs amis à eux se tenaient blottis les uns contre les autres, en bas de la pente. Ils s'appuyaient sur leur lance, comme si le combat était terminé. Les soldats du Nécromancien, tous en vert et noir, les menaçaient de leurs lances et de leurs arcs et les encerclaient. Et Clairbec et Malempire se parlaient : le Nécromancien criait, le sorcier secouait la tête.

Ils contemplaient cette scène, consternés.

— Oh, Yann, regarde ! lui dit Étincelle, atterrée. Ils se sont rendus.

— Qu'est-ce qu'on fait ?

— On retourne en Au-Delà pour réfléchir.

Elle le tira en arrière. Yann braqua son épée vers le bas, vers l'herbe. Alors la porte et la scène de la prairie disparurent, comme un tableau devant lequel tombe un rideau.

— Écoute, on n'a qu'à y retourner pour parlementer, dit Yann. Y avait-il quelqu'un à l'intérieur du château ?

— Je ne sais pas, je n'ai pas vu.

— Eh bien, on passe par la porte et on rentre dans notre propre monde. Puis on referme la porte. Je m'en occupe. S'il arrive quelqu'un derrière nous, tu l'ensorcelles.

— D'accord.

— Ensuite je vais monter jusqu'à la première fenêtre que je trouverai sur mon passage, et puis je parlementerai avec Malempire. On a la Couronne, et on a Donnaccord. On va essayer de conclure un marché et de sauver les autres.

C'est ce qu'ils firent. La porte du château se referma à grand fracas. Étincelle jouait avec son pendentif et jetait des coups d'œil de droite et de gauche. Mais il n'y avait apparemment personne. Le Nécromancien était sûr de lui et de son pouvoir. Il s'était bien sûr aperçu, ce matin-là, que Yann s'était échappé. Mais où ? Vers l'Au-Delà, forcément ! Et il savait (ou plutôt croyait) qu'il était impossible d'en revenir avant la tombée de la nuit. Il n'avait donc laissé personne à l'intérieur du château, et avait emmené toute sa petite armée pour aller anéantir Clairbec.

Maintenant, en entendant la porte de son château se refermer bruyamment derrière lui, il se retourna brusquement et poussa un cri :

184

— Rentrez au château! commanda-t-il. Allez-y, et ouvrez-moi cette porte. Vite! Et que ça saute!

Six soldats se préparaient à obéir. Mais il y avait quelque chose qui n'allait pas du tout. Deux d'entre eux s'étalèrent de tout leur long sur le sol, comme si leurs chaussures y avaient pris racine. Les autres soulevaient les pieds lourdement, avec une lenteur incroyable, et haletaient, tellement leur effort était grand. Qu'est-ce qui était arrivé à leurs souliers? On aurait dit qu'ils étaient remplis de plomb. Deux des soldats se signèrent. Ceux qui étaient tombés se mirent à ramper vers le château à quatre pattes, comme s'ils traînaient un poids énorme derrière eux.

Malempire, sidéré, les contemplait:

— Mais qu'est-ce qui se passe? A quoi est-ce que vous jouez? Espèce d'imbéciles!

Sa voix était rauque, tant sa soudaine frayeur était grande.

Les soldats s'étaient arrêtés, pantelant après l'effort; la sueur baignait leur visage.

— C'est l'air, souffla l'un d'eux. On dirait de l'huile. On a l'impression de nager à contre-courant.

Malempire grondait férocement.

— Est-ce qu'il faut que je fasse tout moi-même? Quand vous daignerez avoir envie de me suivre, leur dit-il d'un ton sarcastique, suivez-moi. Suivez-moi, vous entendez?

Il enfonça les éperons dans les flancs de son cheval, qui pourtant tituba au lieu d'avancer, puis tomba sur les genoux et se mit à hennir. Le Nécromancien, d'un mouvement doux, ralenti, glissa par-dessus le cou de son cheval et alla s'étaler dans l'herbe. Il se releva en jurant, et tira de toutes ses forces sur les rênes. Mais le cheval refusait de bouger ; c'était aussi dur que d'essayer de soulever un rocher à moitié enfoui sous le sol. Malempire, qui jetait des regards désespérés tout autour de lui, s'était remis à pester contre ses soldats ; il s'en alla à grands pas vers la porte du château et tira son épée de son fourreau, en poussant des cris de rage.

Par la fenêtre qui était au-dessus de la porte, Yann et Étincelle le regardaient venir. Ils regardaient aussi les soldats qui se traînaient péniblement derrière lui, comme s'ils luttaient contre le vent, ou contre un ouragan. Mais l'air avait le calme d'un verre de vin, et la douceur du lait frais.

— Yann, lui dit Étincelle en lui frôlant la manche. Ça doit être la Couronne. Tu vois, ils ne peuvent pas arriver jusqu'ici. Ils sont tombés sous le pouvoir de la Couronne.

Yann serrait les dents. Il tira fort sur les lanières de son casque, et boucla son plastron de cuir.

— Attends-moi, Étincelle ! siffla-t-il. C'est le moment ou jamais. L'heure de Malempire a sonné !

Et comme Étincelle poussait un cri indigné et tentait vainement de le retenir par le bras, Yann descendit l'escalier en courant, tripa-

touilla le verrou de la porte, et l'ouvrit à toute
volée dans un grand vacarme. Donnaccord à la
main, l'esprit clair comme un rayon de soleil,
le sang coulait dans ses veines, riche et ar-
dent : il se précipita sur le Nécromancien.

Deux silhouettes convergent l'une vers l'autre au milieu du vide d'un grand espace herbu.
L'une est enveloppée dans une longue cape
noire et a un casque d'aigle dans lequel brillent
méchamment les yeux furieux d'une bête de
proie. L'autre porte un simple pourpoint de
cuir, et a une flamme à la main.

Étincelle se mit la main devant les yeux ;
puis jeta un coup d'œil à la dérobée, entre ses
doigts.

CHAPITRE XXVI

L'OMBRE DISPARAÎT

Malempire et Yann ralentirent, puis s'arrêtèrent. Devant la sombre silhouette du Nécromancien s'étendait son ombre, noire dans la clarté de cette journée. Derrière lui miroitait le lac Mireciel qui semblait encore plus brillant par contraste avec sa sombre cape; et il était donc encadré de tous les côtés par le scintillement bleu du ciel, par les montagnes pourpres, et par l'eau.

Pendant quelques instants, Yann connut une sensation étrange, peut-être due au fait qu'il venait de voir, quelques minutes auparavant, son propre monde comme un tableau animé dans le cadre d'une autre réalité, celle de l'Au-Delà; et maintenant qu'il se trouvait en face du Nécromancien et de sa silhouette noire, il avait de nouveau l'impression qu'il voyait là un autre monde, par une échancrure du monde ordinaire. On aurait dit que le noir profil de Malempire, au lieu d'être la représentation d'un homme réel, à trois dimensions, n'était qu'un espace découpé dans la lumière brillante du jour, fenêtre dans l'air bleu, par laquelle on voyait, loin derrière, le ciel noir de la nuit.

Mais, si c'était bien ce qui se passait, comment pouvait-on envisager la silhouette du Nécromancien, pour lui donner ses véritables proportions? S'il était l'obscurité qui se trouve derrière ce monde où nous vivons, s'il ne se trouvait pas à cinq mètres, mais à une distance inimaginable, il avait donc l'immensité d'un ange déchu, ou de quelque immortel et gigantesque démon du mal. Il était donc une force contre laquelle l'homme était tout aussi démuni qu'il l'était contre la peste, ou un ouragan.

Yann cligna des yeux et secoua la tête : non, ce n'était là qu'un des tours du sorcier. Il y eut un déclic, et la silhouette de Malempire reprit ses proportions normales : ce n'était après tout qu'un homme, pas plus grand que Yann lui-même, qui se tenait sur l'herbe verte, sur cette solide terre d'Ombrasie. Au même moment, le paysage qui entourait Yann reprit son aspect normal, et il s'aperçut que le sorcier se trouvait entre la lumière et lui, de sorte que le soleil matinal lui tapait directement dans l'œil, comme une lance braquée sur lui. Ce n'était pas là une bonne disposition pour un combat : il fit quelques pas de côté et décrivit un demi-cercle, pour mettre le soleil derrière lui. Ah! Voilà qui était mieux!

Malempire prit la parole :

— Qu'est-ce que tu t'imagines, jeune homme? siffla-t-il dédaigneusement. Me défier, *moi?* Mais je vais te geler et te figer sur place. Je vais te sucer et aspirer tout l'air de ton corps. Je vais blanchir le sang de tes veines.

— Tu n'es pas aussi fort que tu le crois, répliqua Yann. A moins que tu n'aies fait *exprès* de me laisser échapper ?

— Ainsi, tu crois t'être échappé, hein, petit morveux, petit insolent ! Tu vas bientôt n'avoir qu'une envie, celle d'être ailleurs, je te le promets, mais il sera trop tard, car j'aurai déjà changé les os de tes jambes en eau froide, et l'air de tes poumons en peur étouffante. Tombe à genoux, morveux ! Commence à réciter tes prières !

Et il leva une main au ciel, en continuant cependant à surveiller prudemment son ennemi du coin de l'œil, et il commença à psalmodier un sortilège :

> *Donum dona,*
> *Falsam noctem,*
> *Falsa nox...*

Yann était tourné vers lui et souriait, alors que son cœur battait pourtant à se rompre.

— Tu peux faire des économies de salive, dit-il. A quoi sert la peur, en ce moment ? Écoute, je vais te laisser une dernière chance. Si tu te rends, je te donnerai une jolie petite ferme quelque part, sur la côte au-dessus de Milleroches, par exemple...

Malempire était tourné vers le soleil mais son ombre, qui était derrière lui, se fraya un chemin sous ses pieds et se dirigea vers Yann ; on aurait dit qu'une brûlante obscurité grillait

191

l'herbe devant le Nécromancien. Mais elle s'arrêta à un mètre devant lui; une puissance invisible l'empêchait d'avancer.

Ce spectacle redonna du courage à Yann :

— Tu vois, dit-il en montrant l'herbe du doigt, elle ne va pas aller plus loin. C'est toi, l'imbécile, pas moi. Nous, en effet, nous avons la Couronne.

Il y eut un silence. Les paroles du sortilège moururent sur les lèvres de Malempire. Pendant un instant, ce dernier donna l'impression de ne plus savoir quoi dire; il frissonnait. Puis, de rage, ses yeux se mirent à étinceler derrière la visière de son casque. Mais quand il se mit enfin à parler, c'était tout de même d'une voix à la fois doucereuse et grinçante :

— Écoute, mon garçon, je vais être gentil, pour une fois. Je vais conclure un marché avec toi. Vous pouvez vous en aller, toi et tes amis. Donne-moi l'épée et la Couronne, et je vous laisserai tous partir, librement. Voilà une offre généreuse, non? Qu'en dis-tu?

— Ça ne tient pas debout, répondit Yann. Il avait l'impression qu'il y avait presque du triomphe dans sa voix. Mais ce n'était pas recommandé; c'était imprudent. Il se força à parler doucement : — Ça ne tient pas debout. Cette offre montre que tu as peur. Allons, à l'ouvrage, bats-toi, Malempire. Sa langue fourcha en prononçant le nom du Nécromancien.

— Écoute-moi, mon garçon, dit le sorcier à voix très basse, presque dans un souffle, en avançant d'un pas. Ne te montre pas écervelé.

Accepte ma parole d'honneur. Je suis prêt à jurer sur la tête de Nuit elle-même. Je t'offre la paix et la prospérité, une longue vie passée près de la cheminée, chez toi, sous un ciel bleu. Pourquoi souhaiterais-tu mourir d'une mort rapide et atroce, ici, sur l'herbe fraîche, et pourquoi désirer une mort lente et encore plus atroce pour tes amis, là-bas à Minuit ? Pense à ta bien-aimée, qui est prisonnière dans mon château, sans défense. Pense à tes amis. Vont-ils t'être reconnaissants de ton obstination quand ils mourront ? Je peux te promettre qu'ils te maudiront, qu'ils te traiteront d'imbécile qui ne connaissait pas sa propre faiblesse. As-tu vraiment tellement hâte de les tuer ? Et pourquoi ? En quoi est-ce que ça te regarde, ce que je fais, ici en Ombrasie ? C'est mon royaume, et c'est mon peuple. Suis mes conseils, rentre chez toi ; va retrouver ta chaumière et tes coques.

Yann secouait la tête.

— Ce peuple est désormais mon peuple, Malempire ; car je l'ai choisi. De plus, la souffrance d'autrui, cela regarde tout le monde. Qu'est-ce que je dirais de quelqu'un qui se tiendrait ici comme je le fais maintenant, l'épée à la main, après avoir retrouvé la Couronne, et qui refuserait d'accomplir la tâche qu'il lui appartient d'accomplir ? Mais c'est moi qui suis ici, et cette tâche, elle est pour moi. Ne crois pas que je vais me couvrir les yeux et m'enfuir. Et si tu me proposes une reddition, n'oublie pas ceci : je n'ai pas confiance en ta parole. Si c'est une reddition que tu veux, eh bien, rends-toi donc toi-même ! Pour nos propositions, la balance penche de mon côté : tu peux en effet avoir confiance en ma parole, toi.

En entendant cela, le Nécromancien se mit à grogner. Puis il poussa un grand cri d'aigle qui traversa l'ombre noire du bec de son casque ; et il leva de nouveau un bras pour tenter d'attraper un sortilège au vol.

Yann s'élança sur lui comme une flèche et le frappa sous le bras, qu'il levait. Mais la pointe de son épée s'emmêla dans la cape, que le Nécromancien rejeta alors sur le côté. La cape s'envola en l'air comme un être vivant, puis retomba sur Yann et s'enroula autour de lui, comme un lambeau de la traîne du ciel nocturne : elle l'aveuglait.

Il entendit Étincelle pousser des cris. Il recula, en faisant avec son épée de grands moulinets de droite et de gauche, de haut en bas. La pointe de son épée lançait des éclairs dans cette cape noire qu'il avait devant lui, et marquait une croix flamboyante dans le noir. La cape se dissipa comme une brume.

Mais, alors qu'il reculait en toute hâte, le sorcier, l'épée à la main, se précipita sur lui. Yann se baissa et fit un pas de côté. Il entendit la lame siffler devant son oreille, sans l'atteindre. Et, comme Malempire, entraîné par la force de son propre coup, passait devant lui, Yann lui lança un coup d'épée en pleine poitrine, sous l'aisselle gauche ; d'un coup franc et fort, la pointe de l'épée pénétra dans le cœur.

Chose étrange, la lame ne rencontra aucune résistance. Il avait l'impression d'enfoncer un bâton dans le brouillard ou dans l'obscurité. La sinistre silhouette s'affaissa, s'écroula par terre de tout son long. Mais elle avait perdu son relief : ce n'était plus que la forme sombre d'un corps, noir comme la peinture : une ombre, rien de plus. Et Yann s'aperçut avec horreur que le vrai Nécromancien était toujours debout devant lui et qu'un ricanement triomphal lui découvrait les dents, sous son bec d'aigle ; il levait son épée noire pour le pourfendre.

Cela n'avait été qu'un tour de passe-passe, de la magie, une des illusions créées par la sorcellerie dont Clairbec lui avait parlé. La silhouette que Yann avait abattue n'était qu'un simple objet fait d'air et de sombre brouillard, une illusion créée par l'art du Nécromancien. Et maintenant Malempire se tenait devant lui, prêt à lui assener le coup de grâce.

Yann fit un mouvement désespéré : il se rejeta encore sur le côté, juste au moment où l'épée de Malempire descendait sur lui. Il perdit l'équilibre et s'étala gauchement sur l'herbe. Il sentit le sifflement de l'épée, à deux centimètres de sa tête. Elle l'avait manqué ; mais le Nécromancien poussait maintenant des hurlements de délectation féroce ; il recommençait à avancer et levait pour la dernière fois son épée. Yann, allongé par terre, sans défense, se recroquevilla en prévision du coup et leva Donnaccord pour se protéger.

Ce coup ne devait jamais s'abattre sur lui. L'ombre-silhouette que Yann avait poignardée était allongée sur l'herbe aux pieds du Nécromancien, comme une ombre naturelle. Mais, quand Malempire s'avança sur Yann, l'épée levée pour porter un coup mortel, son ombre ne le suivit pas : elle se trouvait toujours immobile à l'endroit où Yann l'avait fait tomber.

Malempire fut pendant un instant séparé de son ombre. Il y avait déjà une tache de soleil qui l'en séparait.

Et une lueur d'incrédulité et d'horreur brilla dans ses yeux quand il s'aperçut que son ombre ne l'avait pas suivi. Et aussi qu'elle saignait : le sang rouge jaillissait de la poitrine de cette ombre comme une toute petite source, ou encore comme une fleur dont on aperçoit la lueur cramoisie, vacillant dans l'herbe des marais. Malempire, effrayé, se palpa de la main gauche la poitrine pour chercher son propre cœur. Et... qu'est-ce qui se passait ? Entre ses doigts on vit jaillir un tourbillon de fumée, et de petites flammèches qui se tortillaient comme des serpents. Le sorcier laissa tomber son épée et ouvrit la bouche pour crier : mais au lieu de mots, il sortit d'entre ses dents écartées une silencieuse volute de vapeur. Il resta sur place un instant, aussi léger et fragile qu'un merle qui se trouve entre deux bouffées de vent : il n'était plus qu'une nappe d'obscurité clouée en l'air, mais qui maintenant se recroquevillait dans les flammes qui la dévoraient petit à petit, en partant du cœur ; elles chucho-

196

taient en le léchant avec le petit bruit étouffé du parchemin carbonisé, et le déchiraient en lambeaux brûlonnés qui s'envolaient ensuite pour former une noire tempête de neige; les flocons s'élevaient en tourbillons, venaient obscurcir la lumière du soleil, puis redescendaient en planant se poser sur la prairie à la manière des escarbilles à la fin d'un feu de joie.

C'était fini. Yann, qui n'en croyait pas ses yeux, restait accroupi, son épée toujours levée pour parer le coup qui n'était jamais venu. Il s'agenouilla, abasourdi, et regarda tout autour de lui, puis se releva tant bien que mal. A l'endroit où s'était trouvée l'ombre du Nécromancien, il ne restait maintenant plus rien qu'une parcelle d'herbe brûlée, noircie et tordue, à peu près de la forme d'un oiseau de proie en plein vol. Et, au beau milieu, il y avait une toute petite fleur rouge écarlate vers laquelle Yann tendit la main, pour essayer de la cueillir; mais il se rendit compte qu'il n'y avait en fait rien qu'une étincelle de la lumière du soleil, que la pointe de sa propre épée avait, d'une façon ou d'une autre, attrapée et renvoyée. Il se passa la main sur le visage, secoua la tête, ferma très fort les yeux, puis les rouvrit, comme pour s'assurer que ce vaste monde de verdure était bien tel qu'il devait être au regard. Qu'est-ce qui s'était passé? Comment cela était-il arrivé? Il n'aurait su le dire. Mais il se souvint brusquement des paroles que Clairbec avait prononcées au château de Virechoix, plusieurs semaines auparavant, en parlant de la magie :

— La magie, avait-il dit, agit par l'intermédiaire de l'illusion et de la vérité. Mais il faut être prudent. Par exemple, qu'est-ce qu'un fantôme ? Une illusion pour le corps, vas-tu me répondre. Et pourtant pour l'esprit c'est une vérité, car l'esprit a ses propres lois et sa propre réalité, bien différentes. Et la magie, c'est l'affaire de savoir rester à l'intérieur de cette seconde réalité (qui n'est en fait pas la seconde, mais la première), et de savoir ce qu'est la vérité pour l'esprit. Il y a au moins deux sortes d'illusions : la fausse et la vraie ! »

Le Nécromancien avait révélé qu'il n'était qu'une ombre et, ce faisant, s'était trahi. Car cette supercherie n'était pas après tout une apparence fausse, mais bien l'image de sa propre nature, d'obscurité et d'inversion. Elle était comme l'ombre que l'on a dans l'esprit quand on refuse de voir, quand on détourne l'attention et que l'on ferme bien les yeux ; elle était comme l'ombre que l'on a dans le cœur quand on a peur, quand on hait, ou quand on désespère. Donnaccord était la flamme acérée qui avait dissipé cette obscurité et avait poignardé l'illusion en plein cœur ; qui en avait fait sortir la vie, le long de la vive lumière de sa lame.

Une acclamation retentit dans la prairie, en contrebas de Yann. Ses compagnons poussaient des cris, lançaient leur casquette en l'air. Étincelle, le visage ruisselant de larmes, sortit en courant du château et vint serrer Yann dans ses bras. Clairbec, irrité, frottait le mur de verre, comme s'il voulait le repousser. Mais oui, il se mit à trembloter comme une brume de chaleur, puis fondit.

Les soldats de Minuit restaient immobiles, en cercle, pétrifiés par la surprise et l'horreur. L'un d'eux jeta sa lance vers Clairbec. Mais elle se mit à flotter et partit au-dessus de la rivière comme une feuille morte, comme si elle était emportée par un grand vent, par la force invisible de la Couronne.

— Rendez-vous ! leur cria le sorcier. Votre maître est mort. De plus, tant que vous ne vous serez pas rendus, vos pieds ne quitteront pas le sol, je vous le promets.

— Car nous avons la Couronne, en effet, ajouta Étincelle, en la tenant bien haut.

Elle la mit impulsivement sur la tête de Yann.

— Non, dit Yann en essayant de la repousser. Elle n'est pas à moi, elle appartient aux deux royaumes.

— Bon, dit Clairbec qui applaudissait et riait en même temps. Vraiment, Yann, tu es le garçon qu'il me faut ! Ah ça, je te le jure, c'est le plus beau couronnement que j'aie jamais vu !

— Mais c'est vrai, elle n'est pas à moi, protesta Yann en se tournant vers lui.

— C'est bien vrai, mon vieux, elle appartient à la nation, ne l'oublie jamais. Mais tu ne vas pas l'oublier, j'en suis sûr.

Et c'est pour cette raison que, depuis ce jour, les rois des deux royaumes ne prennent jamais la Couronne que leur tend la sorcière qui célèbre la cérémonie; ils la repoussent, et disent :

— Non, elle n'est pas à moi.

Et c'est vrai qu'elle ne leur appartient pas.

— Mais il nous reste une affaire à régler, dit Clairbec en se tournant vers Étincelle. Nos archers, dans la montagne. Tu crois...?

— Je m'en occupe, répondit Étincelle. Elle toucha la Couronne : *Huc, dormientes, huc, ex radice montium, huc advenite...*

Ses lèvres formaient les mots, mais il n'en sortait aucun son; le bruit se réverbérait sur les pentes les plus lointaines de la montagne, et on aurait dit que la voix sortait du rocher.

— Bon, dit Clairbec à deux de ses soldats. Partez à leur rencontre, là-haut sur la montagne; annoncez-leur la nouvelle, et ramenez-les à Minuit.

« Et quant à moi, ajouta-t-il en se frottant la panse à l'avance, je n'ai finalement pas mangé mon dîner hier soir; et tous ces combats et tous ces sortilèges m'ont donné une faim de loup. A votre avis, est-ce que Malempire avait des choses à manger dans son château? Allons, on va mettre un peu de magie dans sa cuisine, d'accord?

Huit semaines plus tard. Les compagnons étaient en train de dîner dans le château de

Fortcastel, à cinquante kilomètres au nord de Minuit. Depuis plus d'un mois Yann et Étincelle passaient toute leur vie à cheval : ils traversaient les terres du Nécromancien de long en large. Ils avaient commencé par aller vers le nord en longeant la Villaine ; ils avaient évité Fortcastel, dont les murs avaient la réputation d'être imprenables, et avaient pénétré dans Millegardes, où ils avaient reçu un accueil chaleureux de la population. On voyait déjà les partisans du Nécromancien pendre sur la place du marché. Ils avaient quitté cette ville et l'avaient laissée sous bonne garde, et avaient envoyé en secret des messagers vers les bourgs de l'est et du nord ; et ils étaient revenus, accompagnés d'une armée de cent soldats pour se lancer à l'assaut de Fortcastel. Le dragon de la terre avait creusé un tunnel sous le mur de cette énorme forteresse qui comptait quatre tours, et la garnison s'était rendue aussitôt. Le capitaine des gens d'armes de Malempire s'était tué en se précipitant du haut de la tour du sud ; et dans les rues avaient retenti les clameurs de triomphe des habitants.

Yann ne perdit pas de temps en festivités. Il divisa son armée, et envoya Étincelle avec Hardiloque vers Carrefleuve, en suivant le cours de la Villaine. Comme ils chevauchaient vers le nord, toutes les villes qu'ils traversaient leur jurèrent foi et hommage, les unes après les autres. La nouvelle de l'exploit qu'avait accompli le dragon à Fortcastel les avait précédés, et les partisans du Nécromancien s'enfuyaient dans les montagnes à leur approche. A Carrefleuve, le sorcier du coin lui-même prit la fuite, mais son apprenti, un garçon de quinze ans, enferma les troupes de Malempire derrière un mur de verre-de-sorcier ; puis, plutôt fier de lui, il alla seul à la rencontre d'Étincelle pour lui remettre les clefs de la ville. C'est ainsi qu'Étincelle revint à Pontruisselle, où elle s'attarda ; elle remarqua que dans les rues, autrefois silencieuses, résonnaient maintenant les cris d'enfants qui jouaient. Elle établit alors un plan de reconstruction pour le château de Malines, pas dans ce lieu maudit mais en face, de l'autre côté de la vallée.

Quant à Yann et Clairbec, ils se remirent en route vers le sud, avec cent cinquante hommes derrière eux ; ils firent le tour du lac Mireciel et se mirent à parcourir la région où la Gâche prenait sa source. La nouvelle de l'exploit du dragon à Fortcastel était parvenue ici aussi ; et, en contournant l'extrémité sud de Mireciel, ils virent la fumée des châteaux incendiés s'élever dans le ciel au-dessus des champs fertiles de Valgâche. Les habitants de cette vallée s'étaient soulevés et s'étaient libérés de la tyrannie du Nécromancien ; ils s'occupaient maintenant activement de débusquer ses agents dans leurs forteresses. Il n'y a qu'à Tourmoulin qu'ils se trouvèrent bloqués pendant un certain temps, car les larbins de Malempire tenaient les murs et refusaient de se rendre. Yann envisagea de demander encore une fois une faveur au dragon. Mais auparavant, se dit-il, il allait expérimenter ses propres talents. Il fit entrer ses troupes par une poterne sous le couvert de la nuit; ils occupèrent la ville. A l'aube, tous les soldats du Nécromancien, sur les murs de la ville, s'aperçurent que, des fenêtres des hautes maisons derrière eux, une flèche leur visait le dos. Ils jetèrent leurs armes par terre. Après cet exploit, ils ne rencontrèrent plus d'autre résistance. Les garnisons des villes plus au sud se rendirent; et les partisans de Malempire s'enfuirent dans les montagnes où ils furent dévorés par les loups.

A Valvigne la fête annuelle du vin battait son plein, pour le plus grand plaisir de Clairbec. Les habitants de la ville avaient arrêté les agents du Nécromancien dès le premier jour des festivités; et le nouveau chef, Tâtevin, alla à cheval à la rencontre de Yann pour l'inviter à la fête.

— Nous avons un excellent cru cette année, je vous assure, s'écria-t-il. La bonne nouvelle a dû parvenir jusqu'aux cuves de vin!

Puis il tomba à genoux devant Yann, et lui fit serment de fidélité.

Sept semaines avaient passé; les chefs de l'Ombrasie se réunirent par une belle journée d'automne au-dessus de Minuit, à l'endroit précis où se trouvait auparavant le cromlech. C'était en effet à cet endroit que, jusqu'à ce que les Nécromanciens vinssent déranger l'Ombrasie, on couronnait les rois de l'ancien temps : dans les fougères et la bruyère, sur la pierre qui coiffait la montagne. C'est là qu'Étincelle posa une seconde fois la Couronne sur la tête de Yann. Une seconde fois, ce dernier la repoussa et dit :

— Non, elle n'est pas à moi.

Ensuite il l'accepta, et les assistants agitèrent leurs drapeaux en poussant des cris.

Yann n'avait pas non plus oublié sa mère; il envoya des émissaires en Normancie. Et il ordonna que l'on annonce la nouvelle à sa mère et qu'on l'amène à Milleroches; là les soldats du sorcier iraient la retrouver et l'escorteraient pour le reste du chemin.

Yann avait donc maintenant les affaires du royaume bien en main; il dînait au château de Fortcastel. Derrière son trône, sur le mur, était déployée la bannière de l'Ombrasie : une bande de blanc et une de vert avec, en travers, un dragon rouge qui crachait le feu... Et Yann bavardait avec ses amis.

— Il y a encore quelques affaires à régler, leur disait-il. Remarquez, il y a toujours des affaires à régler, tant qu'il y a de la vie.

— Tu veux parler des portes de la Normancie, lui dit Clairbec qui jouait avec son verre dans lequel brillait le bon vin de Valvigne, que l'on avait fait transporter avec amour et remonter la longue vallée de la Gâche; il flamboyait d'un éclat rouge dans la lumière des torches : — Eh bien, ce sera une bonne occasion de venir me voir à Milleroches; et de

205

déguster à nouveau les chefs-d'œuvre préparés par mon cuisinier à moi !

— Je croyais, fit Yann, l'air piteux, qu'on ne faisait pas trop mauvaise chère ici. Mais, à vrai dire, tu as raison. Je vais envoyer mon cuisinier passer quelque temps chez toi, pour que le tien lui donne des leçons.

— Volontiers. Mais je dois reconnaître que le vin de Valvigne est un vrai délice.

— C'est vrai, dit Étincelle, souriante. Mais connais-tu un charme qui puisse agir contre ?

— Je n'ai aucune envie d'en connaître, répondit Clairbec avec un frisson.

— Un charme pour les Portes, voilà ce dont nous avons besoin, dit Yann, fermement décidé à les ramener à son problème. J'imagine que tant qu'il reste de l'eau dans les caves des ruines, le cœur du Nécromancien est en sécurité ?

— Ce n'est pas le cœur du Nécromancien, c'est le cœur des deux royaumes. Car ils ne font qu'un : la sauvage Ombrasie, et la sage Normancie, civilisée. Mais oui, le cœur est sans aucun doute en sécurité pour l'instant. Mais j'aimerais avoir un jour ou l'autre un meilleur moyen de le garder.

— Il faut donc retourner à Mirivière, dit Étincelle. D'ailleurs, la famine sévit en Normancie ; les gens meurent de faim. Il faut rompre ce sortilège et faire revenir la pluie.

— C'est vrai, lui répondit Yann. Mais l'hiver est déjà là. Les cultures ne vont pas commencer à pousser avant le printemps. Pour l'instant, nous attendons la réponse que va faire le roi Dermot à nos ambassadeurs. Mirivière lui appartient et, avant d'aller libérer son peuple de la famine, il faut savoir si nous sommes en paix avec lui.

— Ou en guerre, sieur? demanda Hardiloque avec une ironie désabusée.

Yann avait l'air morose.

— Allons, n'en parlons pas tant que nous pouvons faire autrement. Crois-tu, demanda-t-il à Étincelle, que Dermot va donner son accord?

— Oh, maintenant que Malempire est mort et que l'Ombrasie ne représente plus une menace... D'ailleurs, le roi souhaite ardemment que sa fille recouvre la vie. C'est mon autre moitié, tu sais; mais je ne pourrai pas utiliser les pouvoirs de guérison de ma sorcellerie tant que le sortilège ne sera pas libéré. Dermot va certainement donner son accord.

— J'espère de tout mon cœur que tu as raison. Bon, il n'y a qu'à attendre et voir venir. Mais nous n'allons pas attendre trop longtemps, je vous préviens. Mais tout ça, c'est encore dans l'avenir. Yann, songeur, but quelques gorgées de vin : — Ce soir, c'est aussi le moment de parler du passé. Et, à propos de Malempire, il y a plusieurs choses que je ne comprends pas. Je me demande... il regardait à tour de rôle Étincelle et Clairbec,... vous autres sorciers, avez-vous la réponse?

— Non, lui répondit Clairbec avec un sourire rassurant, pas si nous ne connaissons pas la question !

— Eh bien, voilà : la Couronne, pourquoi était-elle enterrée en Au-Delà ? Pourquoi Malempire l'avait-il cachée ? Il aurait en fait pu devenir... presque invincible, non ?

— Peut-on être certain qu'il savait qu'elle était à cet endroit-là ? interrompit Hardiloque.

— Sans doute pas, répondit lentement Étincelle. Mais je crois qu'il le savait. Pour cette bonne raison que c'était logique pour lui de la cacher. Car même s'il savait où elle se trouvait, il était incapable de s'en servir.

— Ça alors, comment ça se fait ? Une arme d'une telle puissance...

— Pas entre ses mains. Tu comprends, la Couronne a une qualité suprême : elle ne peut régner que dans la vérité et la pitié ; avec puissance, certes, mais aussi avec miséricorde. Elle réunit les cœurs, elle ne les déchire pas, ne les sépare pas. Le pouvoir, s'il est mal utilisé, ne peut en aucun cas se servir de la Couronne.

— Elle n'a pas l'air d'être d'un très grand secours pour les monarques, fit remarquer Yann, sans sourire.

— Ça, mon vieux, ça dépend du monarque.

Yann baissa la tête :

— Bien dit. Bon, alors, passons à l'autre problème : qu'est-ce que c'est que l'Au-Delà ? Où est-ce qu'on se trouvait quand on était sur la plage, devant ce grand océan ? Dans ce monde-ci, ou dans un autre ? Et si c'était un autre monde, alors, lequel ?

Sorcier et jeune magicienne se regardèrent et hochèrent tous les deux la tête.

— On ne sait pas, dirent en même temps leurs deux voix, la grave et la haute.

— Eh bien, dit Yann, j'ai sans aucun doute posé assez de questions sans réponses pour ce soir. Mais comme j'aimerais qu'il y ait une réponse !

— Il ne peut pas y avoir de réponse à tout, lui répondit le sorcier avec son sourire habituel, plein de malice : — Ce qu'on s'ennuierait si l'on devait jamais s'arrêter de poser des questions !

— Je commence à comprendre, dit Yann avec un sourire, que tes énigmes ont un sens, Clairbec. Mais écoutez, ce soir, je peux vous donner la réponse à une question.

Il se mit debout, et dans sa main son verre jetait des éclats rouges de rubis.

— Remplissez vos verres ! s'écria-t-il.

Et toute la longue tablée se mit à murmurer, puis à mugir. On entendit les chaises racler par terre ; l'une d'elles se renversa. Les invités se mirent debout. Soudain le silence se fit.

— Je vous supplie tous de lever votre verre, dit Yann, à la santé de Madame Étincelle, car sans sa sagesse aucun d'entre nous ne serait ici ce soir... et à vrai dire plusieurs d'entre nous, dont moi, serions dans l'Au-Delà. Elle m'a sauvé la vie à plus d'une reprise : deux ou trois fois au moins. Et puisque la vie est une chose

209

qu'il faut vivre aujourd'hui, demain, et jusqu'à la fin du temps dont nous disposons, je lui donne ma vie aujourd'hui, demain, et jusqu'à la fin de nos jours. Et, pour ma plus grande joie, pour le plaisir de ce royaume et dans son intérêt, elle a consenti à s'engager à devenir mon épouse.

Il y eut un silence comme chaque fois que les toasts que l'on porte sont réels au lieu d'être, comme d'habitude, simplement ce à quoi on s'attend. Puis il y eut un tonnerre d'acclamations, et les compagnons particuliers de Yann pendant son voyage vinrent leur serrer la main. Les gens tapaient bruyamment sur la table. Étincelle se leva à son tour.

Elle enleva la bague de brume qui était à son doigt. Yann enleva l'anneau du dragon qui était au sien. Ils les échangèrent.

— Trembleterre est mon amie à moi aussi, après tout, dit-elle. Et je suis sûre que les nuages et la pluie sont tes amis.

— Le soleil aussi, j'espère.

— Les arcs-en-ciel, répondit Étincelle. Chaque temps à sa place. Et... elle se tourna vers la compagnie... du beau temps pour l'Ombrasie, aussi longtemps que nous régnerons à Fortcastel.

Une fille brune, debout au haut bout de cette tablée tapageuse, qui sourit comme un arbre en été, mais dont les yeux ont foncé au souvenir des calamités passées ; un jeune garçon blond qui se met à froncer les sourcils, par habitude ; l'obstination se lit sur ses lèvres ; un sorcier

210

rondouillard et souriant; des hommes en pourpoint de cuir, avec leur casque posé sur la table à côté d'eux; leurs barbes grises frétillent, leurs verres, à la lumière, brillent de l'éclat du rubis; une longue table en chêne, noire; une bannière rouge, verte et blanche, dont les couleurs passent; un tourbillon de torches enflammées; un espace éclairé, très animé; ils reculent tous et rapetissent de plus en plus vite à nos yeux, et, brillants, ils s'en vont dans le lointain, comme nous les quittons; ils deviennent de plus en plus minuscules et tombent dans l'obscurité du temps et de l'espace, pour ne plus former qu'une lointaine tête d'épingle. Si notre planète y a jamais été, cet endroit est maintenant à une distance inimaginable, à mi-chemin vers l'autre côté de notre galaxie. Nous leur disons au revoir à tous.

Et comment les portes de l'Ombrasie s'ouvrirent; comment Yann rentra dans son propre pays; comment la princesse Étoile finit par guérir; la bataille de Borne; et comment l'on réunit les deux royaumes... Comme disent les conteurs, ceci est une autre histoire.

QUELQUES REMARQUES
SUR LES DIFFÉRENTES LANGUES
DE L'OMBRASIE

La langue ancienne de l'Ombrasie était encore utilisée, au temps de Yann et d'Étincelle, par les très vieilles créatures qui datent d'avant l'homme. Des êtres comme les dragons ou les géants-de-chêne ont sans nul doute eu une langue à eux à une certaine époque, mais ils l'ont perdue et ont adopté la langue des premiers hommes parmi lesquels ils habitaient. C'est ainsi que, dans ce récit, le dragon de la terre ainsi que les géants-de-chêne ont trouvé parfaitement naturel de penser et de parler dans cette langue alors qu'autour d'eux la plupart des hommes l'avaient oubliée. Pour les géants, le Nécromancien s'appelait en fait *Astiseic,* le Noir Tisseur de Toiles ; nous avons traduit ce nom par Tissombre. Et son nom en langue moderne, Malempire, est en fait une forme altérée d'un autre de ses noms, *Malpreis,* qui signifie l'Objet de Vase Noire.

Cependant, la langue ancienne était encore utilisée par certaines des peuplades les plus isolées, comme les troglodytes dans le chapitre X. Et, comme beaucoup de livres anciens étaient écrits dans cette langue, les magiciens et les sorcières étaient obligés de l'apprendre au cours de leur initiation ; ils s'en servaient encore comme code secret pour converser entre eux. C'est ainsi que, lorsque Étincelle laisse un message pour Clairbec dans le chapitre XXII, elle le rédige en langue ancienne.

Cette langue avait beaucoup de cas et de déclinaisons (comme le latin et le russe moderne). C'est-à-dire qu'on exprimait l'idée de prépositions comme « vers » ou « avec » en ajoutant une désinence à la fin du mot, comme par exemple *Donnavauvi* (avec Donnaccord), ou *Methyanoktin* (vers ou dans Minuit, chapitre XXIV). A ce propos, « th » se prononce toujours comme le « th » de « this » en anglais, jamais comme « th » dans « think », en anglais. La langue ancienne comportait aussi plusieurs sonorités qui n'existent plus de nos jours. La seule qui nous importe ici est la lettre *c*, qui se prononce toujours comme « ch » en écossais ou en allemand (« loch », « buch »). Chaque fois qu'il y a des paroles en langue ancienne dans ce livre, nous les avons traduites ; sauf lorsque Trembleterre dit *Donnec* au cours du chapitre XVIII. Cela veut dire littéralement : « Ne faites pas... » Et *Thérec tinam kántam* (p. 94) signifie « Retenez-vous ! »

En ce qui concerne le sorcelais, comme Clairbec l'explique au cours du chapitre XIX, c'est une langue que les sorciers ont inventée pour lancer leurs sortilèges, après avoir passé des années à prévoir avec soin et exactitude la façon dont la langue ancienne allait évoluer au cours des millénaires à venir. Ou du moins une des façons dont elle allait évoluer. La langue en question est le latin ; et l'on comprendra que nous n'ayons cité qu'une partie seulement des sortilèges qui apparaissent dans ce livre.

Le sortilège qui se trouve p. 83, quant à lui, signifie : « Donne-nous le don de la vraie lumière, oh, vraie lumière. Donne-nous un mur de vraie lumière, oh, cœur de pierre... » Quand Étincelle fait p. 105 une tentative désespérée pour repousser les puissances de la nuit, elle commence de la même façon : « Donne-nous le don de la vraie lumière, oh, vraie lumière. Donne-nous une lumière qui trahisse la nuit... » Quand elle appelle les archers ensorcelés pour leur demander de reprendre leur aspect humain, elle leur dit : « Par ici, dormeurs, par ici ; quittez le pied de la montagne, venez par ici... » Et le sortilège de la Couronne (dont on ne cite que le début et la fin) se traduit mot à mot comme suit : « Contemplez le diamant

qui est le centre de l'épouvante, le centre de la terre...
Vive celui (ou celle) qui voit la vie, construit sa cité
autour de sa citadelle, et en défend les murs. »

Cependant, comme tous les sortilèges les plus puissants (et comme tous les bons poèmes), il est impossible
d'en exprimer toute la signification réelle par des mots
ordinaires. Il a beaucoup d'autres sens, dont le plus important est le suivant : « Vive celui qui voit la vie, rejette
ce qui n'est pas au centre, et expulse les armes loin du
monde. » Si l'on a l'impression qu'il y a une contradic-
tion entre les deux, ma foi, c'est parce qu'il y en a une,
en effet ! La magie est plus profonde que la raison de tous
les jours.

Imprimé en Belgique par Casterman, s.a., Tournai, octobre 1981.
N° édit.-impr. 1762.
Dépôt légal : 4ᵉ trimestre 1981 ; D. 1981/0053/170.

TITRES PARUS

PARMI LES TITRES A PARAITRE